DU MÊME AUTEUR

Aux Éditions Gallimard

PAGLI, roman, 2001.

SOUPIR, roman, 2002.

LE LONG DÉSIR, poésie, 2003.

LA VIE DE JOSÉPHIN LE FOU, roman, 2003.

ÈVE DE SES DÉCOMBRES, roman, 2006.

INDIAN TANGO, roman, 2007 (« Folio » n° 4854).

LE SARI VERT, roman, 2009 (« Folio » n° 5191).

LES HOMMES QUI ME PARLENT, 2011.

LES JOURS VIVANTS, roman, 2013.

L'AMBASSADEUR TRISTE, nouvelles, 2015.

Chez d'autres éditeurs

SOLSTICES, nouvelles, Regent Press, 1977

LE POIDS DES ÊTRES, nouvelles, éditions de L'Océan Indien, 1987

RUE LA POUDRIÈRE, roman, Nouvelles Éditions africaines, 1989

LE VOILE DE DRAUPADI, roman, éditions L'Harmattan, 1993

LA FIN DES PIERRES ET DES ÂGES, nouvelles, éditions de L'Océan Indien, 1993

L'ARBRE FOUET, roman, éditions L'Harmattan, 1997

SOLSTICES, nouvelles, éditions Le Printemps, 1997 (réédition)

MOI, L'INTERDITE, roman, éditions Dapper, 2000

LES CHEMINS DU LONG DÉSIR, poésie, Grand Océan, 2000

ÈVE DE SES DÉCOMBRES

ANANDA DEVI

ÈVE
DE SES DÉCOMBRES

roman

GALLIMARD

ÈVE :

Marcher m'est difficile. Je claudique, je boitille en avant sur l'asphalte fumant.

À chaque pas naît un monstre, pleinement formé.

La nuit de la ville s'enfle, élastique, autour de moi. L'air salé venant du Caudan racle mes douleurs et ma peau, mais je continue.

Je ne suivrai plus que ma propre logique. Ce qui fuit en moi, ce goutte-à-goutte de la vie qui s'échappe et me transforme en une créature exsangue, vampirisant la nuit, n'a plus aucune importance. Le silence entré en moi me coupe le souffle.

J'entre dans mon pas. C'est le seul recours, désormais. Mon bruit sur la route est un martèlement fait de ratés. J'accroche mon cartable à mon épaule droite. Ce soir, il ne contient pas que des livres. Une boursouflure rassurante s'y trouve, tout contre mon aisselle : la brûlure de tous les faux départs et de toutes les arrivées manquées. Bientôt, ce ne sera plus un rythme caché dans mes veines. Ma marque s'imprimera sur un front, entre les sourcils. C'est pour cet instant que je suis née.

Je passe la main sur ma nuque. La surface rugueuse me surprend. L'absence de cheveux me rend plus nue que jamais. Puis, je me souviens : ma mère les a tondus. Quand je me suis regardée dans le miroir, j'ai vu que j'avais une tête de lionne. J'avais la crinière de ma faim.

Je marche, même si je voudrais courir vers moi-même.
La nuit vibre. La ville tremble. Je suis sortie. Rien ne
m'arrêtera plus.

PREMIÈRE PARTIE

SAD :

Je suis Sadiq. Tout le monde m'appelle Sad.
Entre tristesse et cruauté, la ligne est mince.
Ève est ma raison, mais elle prétend ne pas le savoir.
Quand elle me croise, son regard me traverse sans s'arrêter. Je disparais.
Je suis dans un lieu gris. Ou plutôt brun jaunâtre, qui
mérite bien son nom : Troumaron. Troumaron, c'est une
sorte d'entonnoir ; le dernier goulet où viennent se
déverser les eaux usées de tout un pays. Ici, on recase les
réfugiés des cyclones, ceux qui n'ont pas trouvé à se loger
après une tempête tropicale et qui, deux ou cinq ou dix ou
vingt ans après, ont toujours les orteils à l'eau et les yeux
pâles de pluie.
Moi, j'y vis depuis toujours. Je suis un réfugié de naissance. Comme tous ceux qui ont grandi à l'ombre jaune de
ces immeubles, je n'ai rien compris à leurs angles néfastes.
Je ne voyais pas les fissures, nées à nos pieds, qui nous
séparaient du monde. Je jouais avec Ève. On l'appelait le
squelette parce qu'elle était si maigre, mais c'était aussi
pour masquer une affection inavouée. On jouait à la guerre
jusqu'à ce qu'on entre en guerre.
Nous sommes accolés à la montagne des Signaux. Port
Louis s'accroche à nos pieds mais ne nous entraîne pas.
La ville nous tourne le dos. Son bourdonnement de lave

13

sourde s'arrête à nos frontières. La montagne nous obstrue la vision d'autre chose. Entre la ville et la pierre, nos immeubles, nos gravats, nos ordures. L'eczéma des peintures et le goudron sous nos pieds. Un terrain de jeu pour enfants est devenu un parcours du combattant, avec ses aiguilles, ses tessons de bouteilles, ses couleuvres d'attente. Ici, les garçons ont serré les poings pour la première fois, et les filles ont pleuré pour la première fois. Ici, chacun a fait face à ses certitudes.

Un jour on se réveille et l'avenir a disparu. Le ciel masque les fenêtres. La nuit fait son entrée dans les corps et refuse d'en sortir.

La nuit et la rage des hormones. Nous, les garçons, nous sommes en manque. On se met à traquer les filles jusqu'à l'usine fermée qui a dévoré les rêves de nos mères. Peut-être que c'est cela aussi qui les attend. De l'usine, il ne reste plus qu'une coque de métal vide et des centaines de machines à coudre qui ont donné à leurs épaules cette courbe de défaite et à leurs mains des trous et des entailles en guise de tatouages. Il y reste les déchets de toutes les femmes qui ont travaillé ici. On voit qu'elles ont tenté de donner une apparence humaine à leur désolation. À côté de chaque machine, il y a une fleur en plastique mauve, des photos de famille jaunies, des cartes postales venues d'Europe ou bien une barrette rouge oubliée, avec son brin de cheveux arraché. Ou encore des symboles religieux — crucifix, versets du Coran, statuettes du Bouddha, images de Krishna — qui permettent de deviner à quelle communauté appartenaient leurs propriétaires, pour peu qu'on ait envie de jouer aux devinettes. Quand l'usine a fermé, elles n'ont même pas pu entrer reprendre leurs objets. Ç'a été aussi soudain que ça, aussi inattendu ; mais plus tard, j'ai compris qu'elles n'ont rien voulu voir. Je me demande à quoi ça leur a servi, toute cette piété. Désormais, tout cela est offert à la rouille et à nos jeux pervers, cachés derrière les rideaux de vert-de-gris. Ce sont nos traces à nous qui envahissent les salles rancies et les repaires des rats. L'encre de toutes les virginités perdues ici.

Parfois, quand le quartier est calme, il me semble que les bruits du pays, autour de nous, sont différents. D'autres musiques, des sonorités moins funèbres, le claquement des tiroirs-caisses, le clinquant du développement. Les touristes, eux, nous narguent sans le savoir. Ils ont l'innocence de leur argent. Nous les arnaquons pour quelques roupies jusqu'à ce qu'ils commencent à se méfier de nos gueules avenantes et fausses. Le pays met sa robe de ciel bleu pour mieux les séduire. Un parfum de mer sort de son entre-cuisse. D'ici, nous ne voyons pas le maquillage du dehors, et leurs yeux éblouis de soleil ne nous voient pas. C'est dans l'ordre des choses.

Les mères disparaissent dans une brume démissionnaire. Les pères trouvent dans l'alcool les vertus de l'autorité. Mais ils n'en ont plus, d'autorité. L'autorité, c'est nous, les garçons. Nous avons tracé nos divisions comme des chefs militaires. Nous nous sommes approprié des morceaux du quartier. Depuis que nos parents ne travaillent plus, nous sommes les maîtres. Nous avons compris que personne ne pouvait nous donner des ordres. Plus personne ne pouvait nous regarder dans les yeux sans frémir. À partir de ce moment-là, chacun s'est mis à vivre

15

à sa façon, délivré de tout, affranchi des règles. Les règles, c'est nous qui les dictons.

Mais depuis quelque temps, quelque chose d'autre s'est glissé dans mes rêves. Je tache les murs de ma chambre de mes interrogations, je les ensanglante du jus des mots. J'apprends à me taire. J'apprends à me dire. J'apprends à me construire et à me dérober. Je suppose qu'on est tous comme cela ; on suit le flot, comme les autres, mais intérieurement, chacun se replie sur lui-même et nourrit ses secrets. Je suis leurs pas et je fais semblant d'appartenir, pour la forme, pour la survie. Ève ne le comprend pas.

Ève, à la chevelure de nuit écumeuse, quand elle passe dans ses jeans moulants, les autres ricanent et grincent des dents, mais moi, j'ai envie de m'agenouiller. Elle ne nous regarde pas. Elle n'a pas peur de nous. Elle a sa solitude pour armure.

La nuit, mes hormones prennent son visage et la dessinent à grands jets de désir. Quand je ne peux plus tenir, je sors avec la bande, nos mobylettes s'énervent et lancinent les vieux endormis. Au matin, les autres sombrent dans la stupeur de la drogue et de leur colère. Moi, je me douche, je me rase et je vais en classe. Cette double vie m'épuise, mais pour rien au monde je ne manquerais le profil d'Ève au matin, à l'arrêt d'autobus, un doigt de soleil jouant avec son oreille.

Et puis, je l'avoue, j'aime les mots.

Je glisse un livre de poésie dans son cartable.

Plus tard, elle me croise et appuie sur moi son regard. Cela me met dans tous mes états.

Je lui dédie toutes les phrases dont je noircis mes murs. Je lui dédie mes soleils amers.

Notre cité est notre royaume. Notre cité dans la cité, notre ville dans la ville. Port Louis a changé de figure, il lui est poussé des dents longues et des immeubles plus hauts que ses montagnes. Mais notre quartier, lui, n'a pas changé. C'est le dernier retranchement. Ici, on se construit une identité par défaut : celle des non-appartenants. On nous appelle *bann Troumaron* — les Troumaron —, comme s'il s'agissait d'une nouvelle communauté dans cette île qui en a déjà tellement. Peut-être effectivement le sommes-nous.

Notre antre, notre terrain de jeu, notre champ de bataille, notre cimetière. Tout est là. Nous n'avons besoin de rien d'autre. Un jour, nous serons invincibles et le monde tremblera. C'est là notre ambition.

ÈVE :

Un crayon. Une gomme. Une règle. Du papier. Des chewing-gums. Je jouais à colin-maillard avec mes envies. J'étais une enfant, mais pas tout à fait. J'avais douze ans. Je me bouchais les yeux et je tendais la main. Je froissais l'air. Je frissonnais au vent dans mes tenues minces. Je croyais que tout était à ma portée. Je faisais naître des lunes dans les yeux des garçons. Je croyais que c'était un pouvoir.

Un crayon. Une gomme. Une règle. Je tendais la main parce que, dans mon cartable, il n'y avait rien. J'allais à l'école, vide de tout. J'éprouvais une sorte de fierté à ne pas posséder. On pouvait être riche de ses riens.

Parce que j'étais minuscule, parce que j'étais maigre, parce que mes bras et mes jambes étaient raides comme des dessins d'enfant, les garçons un peu plus grands me protégeaient. Ils me donnaient ce que je voulais. Ils pensaient qu'un coup de vent me ferait chavirer comme un bateau en papier quand l'eau lui mord le ventre.

J'étais un bateau en papier. L'eau imbibait mon ventre, mes flancs, mes jambes, mes bras. Je ne le voyais pas. Je me croyais forte. Je calculais mes chances. J'évaluais chaque instant. Je savais demander sans en avoir l'air.

Un crayon, une gomme, une règle, n'importe quoi. Ils me les donnaient. Sur leur visage, il y avait ce bref adoucissement qui changeait tout, qui leur donnait une apparence humaine. Et puis, un jour, quand j'ai demandé comme d'habitude sans en avoir l'air, on m'a demandé quelque chose en retour.

Je croyais que c'était simple, que c'était facile. Que voulait-il en retour ? J'étais le roquet de la classe, la plus insignifiante des choses. Tout le monde savait que je n'avais rien. Pour une fois, on me disait que je possédais. Dans mon cartable, il y avait le vide : de l'appartement, plus petit et plus nu que tous les autres, de nos armoires, et même de notre poubelle. Il y avait l'œil de mon père, que l'alcool rendait graisseux. Il y avait la bouche et les paupières scellées de ma mère. Je n'avais rien, rien du tout à donner.

Mais je me trompais.

Ce qu'il voulait, c'était un bout de moi.

Il m'a entraînée dans un coin de la cour de récréation, derrière un gros badamier, il m'a appuyée contre le tronc de l'arbre, et il a glissé sa main sous mon tee-shirt. Je portais un tee-shirt rouge, avec le nom d'un footballeur écrit dessus. Je ne me souviens plus qui. Sa main s'est arrêtée sur ma poitrine, est montée et descendue doucement, juste sur le bout minuscule et noir. Je n'avais presque rien, là. J'entendais les cris des autres enfants qui jouaient. Ils me semblaient lointains. C'était un autre monde. Le gamin a mis son autre main aussi. Son teint s'est brouillé. Sa joue était chaude. Il a pris son temps, même s'il avait peur. Moi, je ne ressentais rien. J'existais en dehors de mon corps. Je n'avais rien à voir avec lui.

Ce jour-là, il ne m'a rien demandé de plus. Il m'a donné

la gomme, ou le crayon, ou le cahier, je ne sais plus. Il a approché sa bouche de mon oreille. La prochaine fois, il a dit, on essaiera autre chose.

J'ai haussé les épaules, mais j'ai regardé avec curiosité ses yeux recouverts d'un film argent, comme du sucre fondu. Il a paru annulé. Il n'existait plus que par ses mains. Il n'existait plus que par moi.

Pour la première fois, mon cartable n'était plus vide. J'avais une monnaie d'échange : moi.

Je pouvais acheter. Échanger ce dont j'avais besoin contre moi-même. Des morceaux, des parcelles. Mes pièces détachées. Je regardais les grands garçons au sortir du collège avec effronterie. Tu veux voir quelque chose ? je leur demandais. Ils riaient en disant, dégage, il n'y a rien à voir. Mais ensuite, ils me regardaient plus longuement et mes yeux leur disaient autre chose. Je savais le faire. Je faisais couler dans mes yeux le liquide d'une autre personne, qui n'avait rien à voir avec mon corps squelettique. Je niais ma petitesse et ma fragilité. Je me contredisais. Cela changeait tout. Ils cessaient de respirer. Ils rejoignaient les ombres et les ailes sur mon visage. Ils y laissaient une caresse, un sirop d'envie qui coulait sur ma joue droite. Eux, les grands garçons, avaient autre chose à donner en retour : des livres, des calculatrices, des disques. Tout ce que je leur donnais, moi, c'était l'ombre d'un corps.

Je suis en négociation permanente. Mon corps est une escale. Des pans entiers sont navigués. Avec le temps, ils fleurissent de brûlures, de gerçures. Chacun y laisse sa marque, délimite son territoire.

J'ai dix-sept ans et je m'en fous. J'achète mon avenir.

Je suis transparente. Les garçons me regardent comme s'ils pouvaient voir à l'envers de ma peau. Les filles m'évitent par peur de la contagion. Ma réputation est faite. Je suis seule. Mais j'ai compris depuis longtemps la nécessité de la solitude. Je marche droite, intouchée. Personne ne peut lire mon visage clos, sauf quand je choisis de l'ouvrir. Je ne suis pas pareille aux autres. Je n'appartiens pas à Troumaron. Le quartier ne m'a pas volé l'âme comme aux autres robots qui l'habitent. Le squelette a une vie secrète gravée dans son ventre. Il est sculpté par le tranchant du refus. Ni passé ni futur n'ont d'importance : ils n'existent pas. Le présent non plus, d'ailleurs.

Une gomme. Un crayon. Une règle. Les débuts sont toujours simples. Et puis on ouvre les yeux sur un monde désolé, sur un univers vérolé. Le regard des autres, qui juge et qui condamne. J'ai dix-sept ans et j'ai décidé ma vie.

J'affronte mes récifs. Je ne serai pas comme ma mère. Je ne serai pas comme mon père. Je suis autre chose, même pas vraiment vivante. Je marche seule et droite. Je n'ai peur de personne. Ce sont eux qui ont peur de moi, de l'inexploré qu'ils devinent sous ma peau.

Plus ils me touchent, plus ils me perdent. Ceux qui osent regarder sous mes yeux sont pris de vertige. Ils sont si simples. L'inexpliqué les effraie. Ils veulent des cadres rigides. Fille à marier, fille à prendre et à jeter. Ce sont les deux seules catégories qu'ils connaissent. Mais je n'appartiens ni à l'une, ni à l'autre. Cela les dépasse et les exaspère.

La nuit, je vais hanter l'asphalte. Les rendez-vous sont pris. On m'emmène, on me ramène. Je reste froide. Si quelque chose en moi est changé, ce n'est pas la partie la plus vraie. Je me protège. Je sais me protéger des hommes. Le prédateur, c'est moi.

On m'emmène, on me ramène. Parfois, on me malmène. Ça ne me fait rien. Ce n'est qu'un corps. Ça se répare. C'est fait pour.

Je passe outre les pièges et les obstacles. Je fais ma danse d'évasion.

Ombre ou aile, ce que tu étais n'est plus. Tu deviens autre chose. Dans le quartier de Troumaron, un reflet te suit. Il te nargue. Il te dit que tu marches à rebours. Il transforme tes surfaces, inverse le sens de ta trajectoire, révèle l'envers de ton silence. Le bateau en papier fait eau de toutes parts et tu ne le sais pas. Tu te regardes couler sans te voir. Gommes, papiers, crayons, règles, livres, cœur, reins, orteils. Un jour, tu te vois dans le miroir, et plus rien de tout cela n'est à toi.

Tu vois un visage serré sur ses mensonges. Tu te demandes où tu es allée. Tu cherchais une clé et tu as trouvé une effraction.

CLÉLIO :

Je suis Clélio. Je suis en guerre. Je me bats contre tous et contre personne. Je ne peux pas m'extraire de ma rage. Un jour, c'est sûr, je tuerai quelqu'un. Sais pas qui. Mes parents, peut-être, ou un employeur ou un copain de la bande ou une femme ou moi-même. Sais pas qui. Je suis Clélio. Souvenez-vous de moi, mais ne me cherchez pas. J'ai assez de colères pour remplir dix fois le panier percé de ma vie.

J'ai fait tous les métiers. Il me reste plus que celui de tuer. Parfois, je chante. Quand je chante, les gens écoutent. On dirait que je les arrête. J'arrête leur vie et leur cœur. J'ai une voix qui perce l'infini, dit Sad, qui parle comme personne ici. J'ai une voix à faire frissonner la ferraille, paraît-il. Les immeubles s'arrêtent d'écraser les gens. Je desserre le poing du ciment. Les murs ont un air de nostalgie. Les filles ont un air de rose. Mais je vais pas m'emmerder à chanter pour du vent.

Une ou deux fois, on m'a dit de chanter à un mariage. Les gens me regardent de cet air ravi et con qui me donne l'envie de leur fracasser la gueule. De les voir rassemblés là dans leurs jolis vêtements et leurs chaussures trop serrées qui feront pousser des cors comme des orteils en trop, niant tout ce qui se passe, niant leur misère avec un étalage de bouffe et de boissons, ça me démange de leur faire bouffer aussi leur sourire. Je me dis que si une dixième petite vieille me demande de chanter *Marinella*, je vais l'envoyer valser pour de bon avec le bon Dieu. J'ai l'alcool mauvais. Un verre de bière et je renverse les tables et la mariée. Une fois, j'ai même sauté sur la mariée pour lui arracher son voile, parce que je savais que c'était qu'un déguisement. Si on ne m'avait pas retenu, j'aurais arraché sa robe aussi, et ses serments.

Je crois que je suis né comme ça. Je crois que j'ai vu le futur et que j'ai pas aimé ça. Et quand je vois des clous, j'ai envie de les avaler ou de les faire avaler à quelqu'un d'autre.

J'ai été me balader en prison plusieurs fois pour voies de fait et agression. Si j'y suis pas resté plus longtemps, c'est parce que je suis mineur. L'année prochaine, quand j'aurai dix-huit ans, les peines seront plus sévères. Les magistrats, pour l'instant, me font la morale. Les magistrates fondent un peu sous mon regard d'enfant et me disent avec une sorte d'affection désespérée de mieux me comporter. Mais je sais que je ne changerai pas. Je suis un pisseux, un morveux, un merdeux.

Je suis Clélio, un sale besogneux. L'avaleur des clous rouillés des autres. Que voulez-vous ? On ne se refait pas.

SAD :

On me dit que je réussirai. Il faut savoir que réussir, ça ne veut pas dire la même chose pour tout le monde. C'est un mot à déclinaison variable. Dans mon cas, cela veut simplement dire que les portes fermées pourraient s'entrebâiller et que je pourrais, en rentrant bien le ventre, me glisser entre elles et tromper la vigilance de Troumaron. Tout le monde sait que la pauvreté est le plus féroce des geôliers. Les profs, eux, disent que tout est possible. Ils me racontent qu'eux aussi apprenaient leurs leçons à la lumière d'une bougie. Je vois d'ailleurs dans leurs yeux l'obscurité de pensée qui en a résulté. Ils me disent, il faut saisir votre chance, vous ne devez pas freiner le développement du pays. Qui c'est, vous ?

Les stéréotypes, c'est pour nous : on les a tous. Nous sommes les champions.

Ils font miroiter le mirage de la réussite, comme s'ils me disaient sans trop y croire, le regard dérobé, tu es capable de miracles. C'est vrai, j'ai de la mémoire. Je suis une éponge : j'absorbe tout. Et je suis une vessie : je restitue tout. Il paraît que ça aide à réussir. Avaler et régurgiter.

Mais je me sers d'eux aussi. Je suis les cours. Je réussis mes examens. Je mène une double vie : la nuit avec la bande, le jour avec les sages.

Je me souviens du jour où je me suis séparé en deux : en cours de français, la prof, une jeune femme maladive aussi

26

jaune que ses blouses poussin et qui n'est pas restée long-temps (et c'est pour ça que je dis qu'elle n'était là que pour moi, à ce moment-là, comme un destin qui frappait à mon crâne endormi), la prof, donc, a dit : on va lire des poèmes de quelqu'un de votre âge. Les garçons, dès qu'ils entendent le mot poésie, font semblant de vomir et se bouchent les oreilles en faisant des bruits grossiers. Mais elle a quand même lu les poèmes au milieu du chahut et aussi des lettres de ce garçon, de sa petite voix tremblée. Elle a commencé par : *On n'est pas sérieux, quand on a dix-sept ans*. D'abord, je me suis dit, il se trompe, parce que pour nous, dix-sept ans, c'est très sérieux. Mais ensuite j'ai entendu, au lieu de sa voix à elle, la voix dure d'un gamin qui parlait de ses envies, de sa révolte, de ses blessures, de ses désirs, mais pas seulement, il parlait aussi du monde, du sien et du mien, et du coup, j'ai eu l'impression qu'il me parlait à moi seul. Oui, directement. Il me disait, je suis ton frère. Elle a lu un poème où il disait que les voyelles avaient des couleurs et cela m'a semblé d'une telle évidence que j'ai sursauté : pour moi aussi, les mots avaient des couleurs. Plus que l'île, avec ses bleus et ses oranges, les mots déclinaient des rages violettes dans ma tête. Lorsqu'elle a fini, elle a dit, ce poète s'appelle Rimbaud.

Je suis ton frère.

Je suis ton double. Je suis ton simple. Je me suis très proprement divisé : j'étais Sad, assis, pétrifié, sur ma chaise raide (ou raide, sur ma chaise pétrifiée), et quelqu'un d'autre, qui n'avait pas d'attaches, qui observait les choses et les conjurait de sa pensée, de son défi, de sa mortalité.

Ce soir-là, allongé dans mon lit, j'ai pris un feutre et j'ai commencé à écrire des choses sur le mur, près de ma tête. Bien sûr, c'étaient des choses sur Ève. Elle seule occupait ma pensée. Je me suis mis à lui parler, je lui dis « tu », je devine où elle va, ce qu'elle pense, ce qu'elle vit. Elle ne sait pas que je la devine si bien. J'ai tellement écrit sur elle que parfois je me dis que j'écris aussi sa vie, et celle des autres, et celle de tous.

Je lis en cachette, sans m'arrêter. Je lis aux latrines, je lis au milieu de la nuit, je lis comme si les livres pouvaient desserrer le nœud coulant autour de ma gorge. Je lis en comprenant qu'il y a un ailleurs. Une dimension où les possibles éblouissent.

ÈVE :

L'eau et ses remous. Ses lignes, ses marbrures, ses brusques changements de sens. Je passe des heures à regarder le ruisseau courir pour rien. Des couleurs se glissent sous sa transparence lorsque le soleil le heurte de face. Moi aussi, je glisse en avant, portée par le temps, portée par rien.

Les immeubles sont en face de moi. Je n'ai pas peur d'eux. Je les mets au défi de me regarder en retour. Ils condamnent à mort tous ceux qui y naissent, mais ça ne change rien. Tout le monde naît condamné. Les enfants ont les yeux délavés de couleurs et de ciel. Moi, je connais depuis longtemps la froideur du métal. C'est elle qui m'a inoculé sa force liquide.

Ce quartier était un marécage au pied de la montagne. On l'a comblé pour construire ces blocs, mais ils n'ont pas comblé l'odeur du goémon ni l'incertitude du sol où ne poussent que les cadavres des ronces et des rêves. Déjà, certains immeubles se penchent. Bientôt, on aura notre tour de Pise à nous. La huitième merveille du monde : le quartier de Troumaron.

Assise sur une butte non loin, je fume et je les regarde. Il y a une garde au bas de chaque bloc. Les points lumineux des joints ponctuent le cercle fermé. Les garçons font des pactes, établissent des règles, forment des allégeances : l'esprit de la horde. Si tu tiens à ta vie, à ton corps, si tu es une fille, si tu es un vieux, tu as intérêt à faire un grand détour. Ils étalent autour d'eux une mare d'huile, dans laquelle se reflètent les faces assommées des gens et l'envers de leurs pas. À cette heure, personne ne marche. Tout le monde court. Une pavane mortelle a lieu. Pour eux, la plupart des femmes recèlent la même lourdeur : ce trou qui est une porte d'entrée infranchissable et ouverte, et dont ils ne connaissent pas le secret. Alors, ils vont à la chasse, comme les centaines de chiens errants qui arpentent la ville dans tous les sens et la déchirent.

Même Sad, qui est un peu différent, qui pense à autre chose qu'à l'évasement de nos cuisses, fait partie d'une bande. Il n'a pas le courage de se démarquer, d'être seul, de suivre une autre courbe. Il n'a aucune idée de ce qu'il y a en nous :

Cette eau trouble, ce monde glauque, ce sourire lointain d'une nuit de lune, quand le vent vient nous dire des choses à la bouche qui nous rendent pensives et tristes.

Sad parle de poésie quand nous sommes seuls. Mais il n'a aucune idée de la poésie des femmes.

La poésie des femmes, c'est quand Savita et moi, on marche ensemble en synchronisant nos pas pour éviter les ornières. C'est quand on joue à être jumelles parce qu'on se ressemble. Nous portons les mêmes vêtements, le même parfum. Nous avons l'air de danser. Nos boucles d'oreilles tintent. Elle a une pierre minuscule à l'aile du nez, comme une étoile. La poésie des femmes, c'est le rire, dans ce coin perdu, qui ouvre un bout de paradis pour ne pas nous laisser nous noyer.

Mais ces instants-là sont brefs. Quand je suis seule, je replonge dans ma noirceur et je sais que je vais mourir.

Je décide de rentrer. Le ruisseau n'est pas profond, mais je préférerais rester là et écouter sa voix, plutôt que les grossièretés qui clapotent quand je passe.

Je vois Sad parmi eux. Il fait semblant de ne pas me voir. Je sais qu'il a honte. Je souris.

Une main s'est refermée sur ta cheville et te tire, doucement. Ton regard fuit. Au début, tu pensais que l'étendue des gestes et des actes était étroite. Tu pensais qu'ils
étaient circonscrits par la hâte du désir. Mais ensuite, la
violence est entrée dans l'équation. Et la main te tire, et le
désir s'altère. L'acte prend d'autres tournures, d'autres
fureurs. Il en faut toujours plus. Les possibilités sont démul-
tipliées.

Finis les accouplements hâtifs derrière un arbre, dans les
latrines. Tu es happée par les lieux cachés que tu ne soup-
çonnais pas sous la surface des habitudes. Une main
t'entraîne. Dans le noir, tu ne reconnais ni les bouches ni les
formes. Dans le noir, la douleur est inattendue. Ou bien, à
la lumière rouge éclairant une pièce nue, tu vois celui qui
t'attend, et ton cœur flanche.

Quand tu ressors, tu marches dans la ville sans hâte,
comme excentrée. Tu marches pour te défaire de la
mémoire. Tu ouvres la bouche et laisses entrer un vent brûlant qui carbonise la menace du souvenir. Tu rentres dormir,
croyant avoir oublié. Tu peux ainsi recommencer, sans
savoir pourquoi.

La main autour de ta cheville ne te lâche plus et resserre
son étreinte. Tu n'as plus le choix. Tu ne peux qu'effacer,
encore et encore, tes surfaces trop chargées, sans savoir
que tu t'effaces aussi.

L'oubli est le trait d'union entre jour et nuit, la paroi lisse qui te protège de toi-même. Tu deviens sourde. Tu n'entends plus les grondements qui jadis tourmentaient tes oreilles. Tu n'entends plus la musique, trop contradictoire, par rapport à ton regard.

Baby won't you give it to me, give it to me, you know I want it.

Elles font une espèce de danse des hanches sur la chanson, à peine un mouvement, une ondulation qui les rapproche de front, les éloigne, les rapproche de nouveau. Dans ce mouvement, les jeans se rétrécissent autour de leurs fesses comme deux mains plaquées sur leur rondeur.

Baby won't you give it to me...

Elles portent toutes deux des hauts ajustés, l'un rouge, l'autre blanc, croisés sur leur petite poitrine juteuse.

Enfoncé dans un fauteuil, je laisse leur mouvement se mêler à la musique et à la bière, tout cela coule en moi un liquide aux cadences identiques qui se déhanche au fond de mon abdomen. Les notes de la basse viennent me chatouiller le bas-ventre. Avec le même mouvement à peine, je m'enfle.

Ève et Savita dansent ensemble. Elles ne nous regardent pas. Elles ne regardent personne. De leur bouche s'échappe une arabesque de tabac. Leurs épaules se cassent en rythme. Les jeans se resserrent en suivant le même rythme. J'imagine qu'ils se glissent dans le pli, dans le creux.

Je n'en peux plus. Je me lève et dévale l'escalier jusqu'aux W.-C. J'enjambe des corps. En haut de cette discothèque de Grand Baie, il y a des chambres. J'imagine qu'Ève et moi, nous montons là-haut. On ouvre la fenêtre parce que la chambre empeste les vieux corps. L'air salé de Grand Baie s'y engouffre, transformant la chambre de putes en petite chambre nuptiale, toute de rouge vêtue. Je remplace les mains du jeans. Je remplace la musique dans ses jambes, sur ses épaules. Je remplace la cigarette entre ses lèvres. Je suis le vent, partout en elle. Je dépose sur sa peau un film de sel. La musique change, devient plus urgente, mais dans ma tête il y a *won't you give it to me, give it to me, you know I want it*, je murmure *I want it I want it I want it,* mes mains sont furieuses.

Mon visage est couvert de sueur. Lorsque je sors des W.-C, c'est moi qui empeste. Mais je me sens mieux. Je reviens dans la discothèque, où elles continuent de danser, ne sachant pas qu'un volcan vient de jaillir.

Je reprends ma bière. Les autres se moquent de moi. Ils parlent d'elle, l'accablent, chantent des chansons ordurières. Ève se déculotte plus vite que son ombre, disent-ils. Je ne les écoute pas. Ève, je suis le seul à savoir qui elle est.

Ève et Savita, on ne sait pas ce qui les rassemble. Ève et Savita, c'est les deux faces de la lune. Savita aussi habite à Troumaron, mais c'est comme si un fossé divisait les deux familles. La famille de Savita fait comme si elle n'appartenait pas à Troumaron, comme si elle ne se trouvait là que par hasard. Le hasard de la misère, oui. Même vieille rengaine : le père joue aux courses et la mère à nettoyer les sols de l'hôpital civil. Il respire la sueur des étalons, elle sent le sang et les corps pourris. Savita n'a pas l'air de s'en faire. Si par hasard elles se croisent en chemin, la famille de Savita détourne les yeux d'Ève comme quand des chiens copulent, mais leurs yeux à elles se rencontrent et s'attachent. Il y naît un sourire si lointain et si secret qu'il faut avoir l'œil pour le voir. Ce sourire des deux filles, œil noir, œil bronze, tremblement d'une minuscule lumière disparue avant même de briller, coulée d'une eau complice, presque comme un mélange de salives, ce sourire-là est une porte vers un endroit qu'elles seules connaissent. Une affaire de filles ; évidemment, on ne connaît rien de tel, nous les coqs bagarreurs.

À Grand Baie, la nuit, le monde se retourne comme un gant. La petite ville balnéaire qui pullule de touristes et de bonhomie le jour grouille alors de ces insectes qui ne sortent que la nuit. Filles court vêtues, hommes transformés en loups, la traque peut commencer. Les discothèques s'ouvrent sur un labyrinthe où les transactions se font dans toutes les langues, anglais, français, italien, allemand, russe. Les filles monotones sont de plus en plus jeunes. Les plus petites sont les Malgaches et les Rodriguaises ; elles n'ont pas l'air d'avoir treize ans. Leur attente patiente, certaines parfaitement immobiles, d'autres faisant des tentatives pour aguicher les premiers touristes qui entrent, est parfaitement pitoyable. J'ai honte et je suis en colère.

Elles, elles n'ont pas le choix.

Mais elle ? Ne me dites pas qu'il n'y avait pas une autre voie, pour elle. Ne me dites pas que de possibilités, il n'y en avait pas. Elle rôde, elle se complaît dans les bas-fonds, dans les fourrés. Je tente de voir l'horizon qui se dessine au bout de ses yeux. Je suis sûr que c'est cela qui la conduit, une illusion de lumière, un paysage qu'elle est seule à voir. Je sais qu'elle n'est pas une gare où tous les bus s'arrêtent. Si les autres parlent d'elle comme cela, c'est pour s'exorciser, parce qu'elle les obsède et qu'ils ne la possèdent pas.

Je rentre chez moi et, pendant plusieurs jours, je lui fais la tête. Elle fait semblant de ne rien remarquer.

Baby won't you give it to me...

Non, après tout, je préfère retourner vers Rimbaud : *Les filles vont à l'église, contentes de s'entendre appeler garces par les garçons.*

Garce, garce, garce.

C'est un beau mot.

Plus tard, je copie une autre phrase à son intention sur le mur du palier, devant son appartement : *Voilà le mouchoir de dégoût qu'on m'a enfoncé dans la bouche.*

Je ne sais pas si je parle d'elle ou de moi. Ou bien de Troumaron.

CLÉLIO :

Au sortir du match de foot, un gros type me bouscule. Aussitôt, je l'attrape par le col de son blouson jaune caca et je le tire en arrière. S'il tombe, ce sera la bagarre générale dans le stade. D'autant plus que c'est un match qui oppose deux anciens ennemis, même si de nos jours les équipes ne portent plus des noms comme Muslim Scouts ou Hindu Cadets. Mes amis se dépêchent de me retenir et de détacher mes mains de cette masse de chair pourrie. J'examine son visage comme si je voulais le mordre. Les copains m'entraînent avant que je déclenche une bagarre. Mais moi, j'aimerais bien ça. Sentir les coups, donner des coups, éprouver la liberté de ma rage comme un vent acide qui me transperce et efface la mémoire.

Ils ne me laissent pas faire. Ils m'entraînent vers la cité, vers notre prison. J'enfourche la mobylette de Kenny. Avant qu'il puisse m'arrêter, je suis parti. Je suis une longue trajectoire circulaire dans Port Louis, illuminé par sa poussière chaude, je passe par la rue la Corderie où les effluves de poisson salé me ramonent les narines, fais un grand détour par la rue Wellington, descends la rue la Poudrière où je salue derrière les murs de pierre les fantômes des anciennes putains, et je reviens vers le Champ de Mars, où la citadelle me regarde de son œil noir. En chemin, je bouscule les gens, monte sur les trottoirs, m'enfile entre les voitures, manque de me faire renverser par des autobus qui pètent leur fumée noire dans ma figure. Partout, les insultes fusent. Je ris, on me remarque, tout le monde fait attention à moi. Je leur fais moi aussi des signes injurieux, j'égratigne au passage un énorme tout-terrain avec un pare-chocs à écraser les buffles inexistants, conduit par une toute petite femme perchée derrière un volant plus grand qu'elle. Elle m'a vu passer une clé sur la peinture de la voiture toute neuve, elle baisse la vitre, mais lorsque j'arrive à sa hauteur et que je la regarde avec un sourire, elle ne peut rien dire, je me lèche les lèvres et elle rougit, si, je vous assure, elle rougit et elle remonte la vitre en masquant l'air climatisé qui m'aspergeait le visage, son visage s'écrabouille comme si elle allait se mettre à pleurer, c'est pas mignon, ça, la dame dans son monstre arctique qui a le cœur tendre et qui ne peut même pas m'insulter, je lui envoie un baiser du bout des doigts, je note dans ma tête le numéro de la voiture et je passe mon chemin, ma bonne humeur retrouvée.

Les choses tourbillonnent dans ma tête. Port Louis vole quelque chose en moi. Trop de gens, trop de voitures, trop de buildings, trop de verre fumé, trop de nouveaux riches, trop de poussière, trop de chaleur, trop de chiens errants, trop de rats. Je ne sais pas où aller. Je poursuis ma course circulaire. Je me mords la queue.

Mon grand frère Carlo, lui, est parti. Il est allé en France, il y a dix ans. J'étais petit. C'était mon héros. Il m'a dit en partant : je reviendrai te chercher. Je l'attends. Il n'est jamais revenu. Il appelle quelquefois, mais c'est pour dire des banalités. Je ne sais pas ce qu'il fait là-bas. Mais au son de sa voix, je sais qu'il ment, qu'il n'a pas réussi. Au son de sa voix, je sais qu'il est mort.

Alors, je voudrais tuer, moi aussi.

ÈVE :

Un mouchoir de dégoût. Oui, moi aussi on me l'a enfoncé dans la bouche dès la naissance.

Debout près de la fenêtre, je crache la fumée du tabac dans la nuit. Je la regarde se dissoudre comme si elle emportait une part de moi. Ma mère, quand elle viendra dans ma chambre après avoir longtemps hésité devant la porte fermée, ne dira rien, ne sentira rien. Elle s'est délibérément insonorisé la chair pour ne pas avoir à ressentir la vie et à la regretter. Une existence à l'abri de tous les remous, voilà ce qu'elle voudrait. Mais peut-être est-ce la seule vision possible, pour ceux qui sont accouchés par le besoin ?

Elle fait de pitoyables efforts pour camoufler la laideur de l'appartement avec des images découpées dans des calendriers périmés ou dans des revues. Sur les murs de ciment fleurissent des photos du Fuji Yama avec une charmante Japonaise tout aussi fleurie devant, des collines suisses avec des vaches plus propres que la plupart des gens que je connais, une gravure de Napoléon se couronnant tout seul, une photo de la reine Élisabeth jeune tenant un enfant rose crevette dans les bras, et plusieurs de Johnny en cuir et en sueur, décortiqué devant son micro. Les fauteuils sont en plastique rouge, bleu, jaune et vert, aux couleurs du drapeau mauricien, avec un canapé en similicuir hérité de sa mère dans un coin. Sur une table en formica, il y a la source de son seul bonheur : un téléviseur et un magnétoscope qui remplissent ses jours de leur glapissement. Dans la cuisine, il n'y a pratiquement jamais que des boîtes de corned-beef ou de *glenrick*, du pain rassis, du macaroni, des sardines. Elle ne cuisine pas pour la famille. Chacun fait son propre truc. Moi, je ne mange presque pas. Je prends un bout de pain que je fais griller directement à la flamme de la cuisinière jusqu'à ce qu'il soit carbonisé et je le mange en le trempant dans du thé. Ou bien ce sont des biscuits Marie à la fade saveur, avec un peu de beurre dessus. Ça ne m'intéresse pas beaucoup.

Elle est toujours empaquetée dans des tenues aux imprimés immondes. Elle oublie d'être femme. Elle est quelque chose, je ne sais pas quoi.

Je ne veux pas de son similicuir, de ses feuilletons brésiliens, de ses rêves mous. J'ai toujours dit non à mes parents. C'est même le premier mot que j'aie prononcé. Tu ne sais pas dire oui ? a demandé mon père quand j'ai été en âge de comprendre. Non, ai-je dit. La gifle est partie sans que je m'y attende. C'était la première. Je devais avoir quatre ans. Après, les gifles, comme les fenêtres borgnes, comme les photos aux murs, ont voulu devenir une habitude.

Mais je marche à reculons sur les habitudes. De ce point de vue-là, la face de mon père s'essoufflant de sa colère est ridicule. La brûlure s'efface vite, mais pas le souvenir de la brûlure.

Un mouchoir de dégoût. Ça ne s'arrête pas là. Chaque soir, les phrases continuent de marteler le palier.

De quelle couleur est ton rire ? Je ne le connais pas. Tu as deux trous par lesquels tu saignes. Tu es mon petit Poucet au chemin ensanglanté. Je te suis pour retrouver les traces de nos visages.

Je pisse d'or sur les tours. Elles sont noyées de crépuscule et d'ammoniaque.

Rejoins-moi et je te ferai mourir.

Je sais, bien sûr, que c'est Sadiq qui réveille les échos de l'immeuble et qui me pose chaque soir une devinette différente à laquelle je refuse de répondre.

Je ne veux pas entrer dans cette complicité. Je lis la nuit le livre de poésie et je vois d'où il a tiré son inspiration. Je n'ai que faire de ses mots de deuxième main.

Quand je lis le livre qu'il m'a donné, les mots dansent et tentent de m'enlacer. Mais ensuite je ferme ma pensée à double tour et le livre me tombe des mains à cause de la pierre que j'ai au cœur.

Je dors. Je me réveille. Le moisi envahit ma chambre. L'eau de la douche à côté goutte toute la nuit. L'humidité suinte des murs. J'ai l'impression que c'est moi qui la sue. J'entends mon père qui remue ma mère. J'entends la passivité de ma mère. Demain, elle aura des bleus aux bras. Demain, elle marchera comme un canard. Demain, il aura des yeux de soufre et sentira l'acide et l'homme.

Je pisse d'or sur les tours, je chantonne au matin, assez fort pour qu'il entende. Il me regarde d'un œil mauvais.

Une nuit, il est entré dans ma chambre. J'ai fait semblant de dormir. Il m'a regardée. Il est resté longtemps.

Je ne sais pas à quoi il a pensé, quels éclairs sont passés par sa tête. Est-il encore un père ? Suis-je encore son enfant ? Qu'est-ce que j'en sais ?

Depuis, je laisse traîner mes affaires intimes pour lui interdire l'entrée. Je sais qu'il en sera troublé et énervé, qu'il ne saura pas comment l'interpréter.

Mais la grogne monte, comme une marée. Ma tranquillité ne durera pas.

SAD :

Le jour où je dirai je t'aime à un homme, je me suiciderai, dit-elle, le rire en pente.

La route aussi est en pente. Très tôt, un matin, je l'entraîne sur des bicyclettes empruntées sans permission. Je l'emmène au monument de Marie, Reine de la Paix, au flanc de la montagne. De là-haut, le ciel semble rosir de timidité sous nos regards. Ce ciel qui a tout vu joue au jeu de la séduction. C'est tout ce que j'ai trouvé, pour lui montrer autre chose que notre quartier. Vue sur autre chose que sur la sécheresse des nuits grises.

À l'ouest, il y a la rade, si calme au matin qu'on ne voit pas le moindre remous dans l'eau. Une eau sur laquelle on pourrait marcher, c'est le premier miracle. C'est notre illusion de départ, sur la pointe de nos rêves. Les bateaux qui ne transportent plus de passagers semblent malgré tout nous appeler, nous dire de venir glisser avec eux sur l'eau. Ou alors, ils étaleront des ailes à la place de leurs voiles et prendront le ciel. Nous dessus, enfants émerveillés. La ville au visage adouci de ses tumultes, toute en verts, en bleus et en orangés, est le deuxième miracle. Elle ressemble à la ville dont parlent les grands-pères, quand les gens prenaient le premier soleil sur le pas de leur porte, orteils nus, et écoutaient le sourire des passants en même temps que la gourmandise des martins dans les manguiers.

On buvait ce soleil comme un sirop, disaient-ils, avant qu'il ne devienne trop brûlant. Ça vous faisait démarrer la journée, exactement comme un petit verre de rhum dans le ventre. Bien sûr, ça ne nous empêchait pas de prendre le petit verre de rhum aussi — deux soleils dans le corps valent mieux qu'un, n'est-ce pas ?

Voici ta ville, lui dis-je en silence. Prends-la dans ma paume. Lèche sa mouillure salée. Regarde la citadelle dans les yeux : elle raye le ciel de son refus.

Ensuite, nous enfourchons nos vélos volés, non, empruntés, et nous nous mettons au défi de dévaler l'une après l'autre les ruelles aux angles fous. Elle n'hésite pas, évidemment. Elle me regarde avec un sourire de grenouille et me tourne le dos et se laisse aller dans la descente. Je la suis. Le vent déjà tiède crisse contre nos joues. Ses cheveux sont étalés en arrière. Elle crie et rit en même temps. Arrivés en bas, nous pédalons de toutes nos forces pour remonter la ruelle et redescendre la prochaine. Très vite, nous sommes huilés de sueur.

D'un seul coup, alors qu'elle était si bien lancée, la roue de son vélo accroche une ornière et elle dérape. J'accélère pour tenter de la rattraper, la voyant déjà fracassée tout au bas, un petit tas de ferraille et de chair, mais elle bascule vers la gauche sur un terrain gazonné plutôt que jusqu'au bas de la pente. Je m'arrête près d'elle, terrifié, mais elle est en train de rire.

Je délaisse mon vélo et me jette sur elle, la clouant dans l'herbe. Je sens son corps qui tremble, de rire ou de peur, je ne sais pas. Sa sueur sent bon. Elle ne porte pas beaucoup de vêtements et je sens tous ses os et tous ses espaces de chair. L'effet est immédiat. Je plonge le nez dans la jointure entre son cou et son épaule.

Dis-moi que tu m'aimes, lui dis-je.

Elle répond : Le jour où je dirai je t'aime à un homme, je me suiciderai.

C'est elle qui a les bras en croix, mais c'est moi qui suis crucifié par ses paroles.

Je ne sais pas si elle s'en rend compte, mais elle se dégage et remonte sur le vélo.

Merci pour la promenade, dit-elle en partant.

La ceinture de son jeans est très basse, révélant un bandeau de chair brun doré et le soulignement noir d'un string. Ses cheveux lui masquent le dos. J'aurais voulu les boire.

Au retour, la bande me fait subir un interrogatoire serré. Qu'est-ce que j'ai fait, que s'est-il passé, qu'est-ce qu'elle a dit ? Ils voient ma déception et se moquent de moi. Tout le monde se l'est faite sauf toi, disent-ils, pas trop méchamment. Mais ils savent que cela ne changera rien, et alors, ils finissent par me laisser tranquille. Avec mon bel amour, mon infante, ma reine.

Personne ne sait qu'on peut aimer comme ça, à dix-sept ans. Je baigne dans l'eau nocturne d'Ève. Je plonge dans sa vision trouble. Je me noie dans sa boue, dans son innocence. Je me fous de ce qu'elle est, de ce qu'elle fait. Je suis le clin d'œil noir au-dessus de la ceinture de son jeans. Je suis le talon arrondi de son pied nu dans ses sandales. Je suis le souvenir de son rire si rare, de sa force, de son défi.

Je ne vois rien d'autre. Les phrases sur mes murs ne sont plus écrites à l'encre noire mais blanche, et le stylo se remplit et se désemplit tout seul, en un incomparable jaillissement.

ÈVE :

Le prof me regarde avec un sourire salé. Il est gentil,
mais sournois. Je sais qu'il est à l'écoute de mes moindres
inflexions : mes yeux, ma voix, mes silences. À la moindre
cassure, il plongera. Je le vois venir et je l'attends. J'ai
besoin de cours de soutien. Il me les donnera.
　　Nul besoin de me juger. Je suis ma propre loi. Si vous
veniez de Troumaron, vous le sauriez. La seule chose qui
me maintienne en vie, c'est Savita. Quand nous sortons
ensemble, nous avons des conversations si intimes que
nous sentons sur l'haleine de l'autre ce que chacune a
bu. La bière Phoenix a une saveur douce. Une trace
d'écume souligne le haut de ses lèvres pourpres. Nos
mains, lorsqu'elles se touchent, s'emboîtent parfaitement. Nous avons les mêmes mouvements, le même
rythme. Pas besoin de nous regarder pour savoir ce que
l'autre pense.
　　Ça a commencé le jour où Savita m'a trouvée sous un
arbre dans la cour du collège. Je n'avais pas été en cours.
J'avais dû attraper une infection quelconque. Je tremblais,
je claquais des dents, j'avais froid. Je crois que je m'étais
mouillée. Cela m'a pris si vite que je n'ai rien pu faire.
Tout mon corps en déroute refusait de fonctionner. Elle a
enlevé son blouson et elle l'a mis sur mes épaules. Elle ne
m'a rien dit, qu'est-ce que tu as ? qu'est-ce qu'on t'a fait ?

ou tu l'as cherché, rien. Elle m'a aidée à me mettre debout et nous sommes rentrées ensemble. Elle avait une odeur d'épices et de brouillard. Je sais que j'avais le visage creux et des gifles d'ombre sur les joues, comme les enfants quand ils ont fait une grosse bêtise.

Je lui ai dit : je ne veux pas rentrer chez moi.

Elle m'a dit qu'elle ne pouvait pas me ramener chez elle, à cause de ses parents, mais qu'elle resterait avec moi jusqu'à ce que je sois prête à rentrer. Nous nous sommes assises près du ruisseau. Elle n'a pas paru remarquer l'odeur aigre que je dégageais. Je ne sais pas à quel moment j'ai posé la tête sur ses genoux et j'ai dormi. Elle est restée très immobile. Quand j'ai ouvert les yeux, j'ai vu au-dessus de moi ses yeux nus.

Qu'est-ce que tu as ? ai-je demandé.

Je pense à ce que tu subis, a-t-elle dit.

Ce n'est pas vrai, ai-je dit, je ne subis pas. J'ai choisi ma vie.

Elle a répondu : C'est pour ça que tu trembles de froid alors qu'il fait trente-cinq degrés à l'ombre ?

J'ai voulu me relever avec colère, mais elle m'a retenue. Elle n'a plus rien dit.

Elle a passé la main sur mon front. Puis elle s'est penchée et elle m'a embrassée.

Le goût de sa bouche n'était pas du tout pareil à celui des hommes. C'était si doux que j'ai fermé les yeux et que je l'ai savouré comme un gâteau-papaye. Je l'ai aspiré fortement à l'intérieur de ma bouche.

Hors de l'emprise des hommes, nous sommes devenues joyeuses, joueuses, pour quelques instants. Un parfum tiède s'évadait de son nombril. Nous avancions sur la pointe des pieds. C'était si étrange. Nous souriions comme des noyées. Nous dansions sur une corde tendue de l'une à l'autre.

Finalement, nous sommes rentrées, chacune séparément. Mais toute la nuit, je suis restée à la fenêtre, regardant dans sa direction, enveloppée de son blouson couleur cannelle comme sa peau, et je savais qu'elle faisait de même.

Elle ne m'a jamais posé de questions. Que te reste-t-il, après tous ces trocs ? Elle le sait. Il y a une surface métallique, impossible à user.

Je chantonne chaque fois que le prof passe à côté de moi. Sa main sur mon cahier tremble. Il est tellement pitoyable. Il a l'air d'un suicidé attendant de plonger. Ses traits sont en déroute. Quand il ouvre la bouche, c'est un coassement qui en sort. Il doit se racler la gorge pour pouvoir parler. Ses cours partent en vrille. Ça me fait ricaner. Il le voit.

Je ris parce que je n'ai rien de beau. Je ne comprends toujours pas ce pouvoir que j'ai. J'ai des cheveux si massifs que je casse tous mes peignes en essayant de me coiffer. Les peignes ont peur de mes cheveux. Le reste est une planche, avec des esquisses de formes et des arrondis fortuits, même pas attirants. Mes traits sont concentrés vers le milieu de mon visage, qui est triangulaire. Je trouve que je ressemble à une souris de bande dessinée.

C'est peut-être pour cela que les hommes mettent des

pièges sur mon chemin. C'est peut-être pour cela que j'y tombe.

Troumaron, lui, me brûle le ventre et la vessie.

Au collège, on nous écarte doucement. Ou plutôt, nous chutons de nous-mêmes un par un sur le bas-côté. La plupart y vont par pis-aller, pour quitter l'haleine aigre du quartier. Ceux qui restent sont les plus brillants et les plus désespérés.

Moi, je reste. Je passe à travers les mailles. Je ne suis pas tamisée.

Mais l'effort de rester m'épuise. Depuis que le jeu est commencé, avec le prof, je me sens lourde. Il monnaye la connaissance. C'est pire que les autres. Du moins, c'est ce qu'il a envie de faire, même si pour l'instant, par hypocrisie ou par lâcheté, il n'a pas le courage de me dire franchement ce qu'il veut. Chaque chose que j'apprends laisse une blessure dans mon corps. Le savoir est douloureux et chèrement acquis.

Quand les autres se rendent compte de son manège, ils s'écartent de moi. Cela les amuse. Je suis seule sur scène. Tous les autres sont des spectateurs. Déjà, je me sens nue. Je ferme les yeux et je serre les dents. Je joue le jeu. Je serai toujours celle que l'on regarde de loin, jusqu'à ce que les mains me rencontrent.

Les mains des hommes prennent possession de vous avant même de vous avoir touchée. Dès que leur pensée se dirige vers vous, ils vous ont déjà possédée. Dire non est une insulte, puisque vous leur enlevez ce qu'ils ont déjà pris.

Comme la main entrant sous mon tee-shirt, ils exigent que je soulève ma peau pour qu'ils puissent tâter mes organes, peut-être même arrêter mon cœur de battre. Leurs exigences sont sans limites. Bientôt, il n'y aura plus rien à prendre, mais ils continuent quand même.

Mais pourquoi dois-je les laisser faire ?

Par blessure. Par mystère. Pour confirmer, avec rage, avec hargne, avec désespoir, ce qu'ils pensent tous, là-bas, dehors.

Pour être. Pour devenir. Pour ne pas disparaître à tes propres yeux. Pour sortir de la gangue des passifs, des oisifs, des ratés, de la sciure des regards, du plomb des jours, du tranchant des heures, de l'ombre des vivants, de l'absence des morts, du gravier des médiocres, du moisi, de la nudité, de la laideur, de la moquerie, des rires, des pleurs, des instants, de l'éternité, du bref, du lourd, de la nuit, du jour, de l'après-midi, de l'aube, des madones effacées, des diablesses disparues.

Rien de tout cela n'est toi.

Sortir de tout cela, déjouer les chercheurs, les suiveurs, quitter la piste, tromper les chiens, changer de forme, achever ta mue et tes métaphores et tes métamorphoses, laisser une traînée argent qui fleure la femme et les plis de la nuit, suivre un chemin de broussailles qui mène loin au fond des mythes et permet d'en sortir refaite à neuf, récurée de ta peau, marchant sanglante au rouge de tes vies, être, devenir, ne pas disparaître.

Tu n'es pas d'ici, te dis-tu. Tu le diras jusqu'à la fin des choses.

CLÉLIO :

Minuit brûle. Midi brûle. Chaque heure brûle. Impossible de m'arrêter de brûler. Je dois faire éclater quelque chose. Debout sur le toit de l'immeuble, je chante à tue-tête, je chante du blues suivi de rap suivi de rock suivi de séga, mais les nuages bâillonnent ma voix, m'en fous, une chanson me revient à chaque fois à la gorge, *krapo kriye*, je suis un crapaud, je crie à l'aube et je crie au crépuscule et ma voix rauque à force de crier, debout sur le toit de l'immeuble, je me rends compte que je crie pour avoir la force de sauter et puis parce que la chanson dit que la mère dort les yeux ouverts, et la mère est l'esclave du père et le père est l'esclave du patron et que la mère dans ce cas est l'esclave d'un autre esclave et c'est pire que tout, comment se battre pour l'esclave d'un autre esclave ?

Et moi, je suis quoi ? Je ne suis pas un esclave, c'est sûr, même si quelque part dans ma lignée il y a eu un homme et une femme enchaînés qui ont regardé vers moi et qui m'ont dit, au-delà du temps, tu seras libre. Je ne suis pas esclave, mais il me semble qu'il n'y a que ça, autour de moi. Mettre le pied en avant, franchir un seuil, tourner le dos, ça, ils ne peuvent pas. Parce qu'ils ont façonné leurs chaînes, ils se croient libres.

D'ailleurs, partir en avant les mènera vers quoi ? Vers le bout de l'île, qui est le bout du monde. Nous ne pouvons pas partir. Nous ne pouvons nous échapper qu'en volant. Nous ne pouvons nous libérer que par la mort. Je libérerai tous mes amis avant de me libérer moi-même.

Toi, Carlo, tu as choisi de partir bien avant. Tu dis que tu es en France, que c'est ta voix que j'entends au téléphone, mais je sais que ce n'est pas vrai. Ce n'est pas ta voix. C'est quelqu'un de faux, qui essaie de prononcer les « r » alors que chez nous on ne les prononce pas. C'est quelqu'un de faux, qui fait semblant d'être français, alors que tout en toi dit que tu es mauricien. C'est quelqu'un de faux, qui parle de sa Renault Clio vert bouteille alors que je sais que tu n'aimes que les Japonaises, tu disais toujours que c'est les meilleures voitures du monde. C'est quelqu'un de faux qui esquive mes questions alors que tu m'as juré que rien ne nous séparerait, que là où tu irais, tu m'emmènerais.

Non, cette trahison fait de toi un autre. Tu n'es pas Carlo. Je prends un canif et j'entaille dans la peau de ma cuisse ton nom, Carlo. Maintenant que mon sang a épelé ton nom, tu es en moi et tu es moi. Nous sommes deux. Celui qui parle là-bas comme s'il avait perdu la mémoire, c'est un faux.

Le crapaud crie sur le toit. Il annonce la nuit.

Il crie, il crie, il crie. Le sang de Carlo goutte. Si j'étale mes bras, est-ce que je m'envolerai ?

Dites-le-moi, vous qui savez.

ÈVE :

Il m'aide, évidemment. Ça fait partie du donnant-donnant. Il m'offre des livres, il corrige avec plus d'attention mes dissertations. Même s'il s'applique, en classe, à ne pas me remarquer plus que les autres, à ne pas me reluquer du coin de son œil mobile et laiteux, ça se sait tout de suite. L'odeur d'un homme aux abords de la femme qu'il convoite ne trompe personne. Sa marche saccadée vers elle non plus.

Il me dit qu'il me donnera des cours de soutien. Il me dit de l'attendre après les cours dans la petite salle de biologie dont il a la clé.

Après les cours, quand tout le monde s'en va, je reste à ma place. La lumière crue des regards est braquée sur moi. Mes yeux brûlent à force de ne pas ciller.

Sa chasse a été risible. Ça se voit qu'il n'a pas l'habitude. Il lui a fallu des semaines pour avoir le courage de me dire de rester après les cours. Il est surpris que j'accepte aussi vite, avec autant de froideur. Comment cela peut-il être aussi simple ? Il se demande si j'ai bien compris son intention.

Il me tend la clé et me dit d'aller dans la salle, il arrive tout de suite. Je suppose qu'il va chercher son courage perdu aux toilettes. Peut-être rafraîchir sa peau brûlante avec de l'eau froide. Ou prendre des préservatifs dans sa voiture, je ne sais pas. Moi, je vais dans la petite salle à

56

l'odeur de sulfure et de formol. Mes pas claquent dans le couloir au revêtement de vinyle grillagé par des milliers de pieds. Sur les fenêtres poussiéreuses, quelque chose fuit. Je n'ai pas le temps de voir si c'est moi.

Il a soigné sa mise en scène. La table est au fond de la pièce, contre le mur, dans l'ombre. Nous serons assis côte à côte. Je serai coincée contre le mur. La table est large et solide. Et il y a aussi les paillasses, longeant les murs. D'un seul coup, la fonction de la pièce change.

Lorsqu'il entre et s'assied à côté de moi, je vois qu'il ne s'est pas rafraîchi. Il sue toujours de désir. Il bafouille encore d'incertitude. Il ouvre un livre au hasard, tente de discuter d'un sujet avec moi. Il veut poursuivre la mascarade jusqu'à ce qu'il soit sûr que je ne vais pas me précipiter dehors en hurlant. Il me pose des questions et ne remarque pas que je réponds délibérément à côté. Ça me fait sourire.

À ce sourire, il saisit enfin sa chance et me fait face et me prend le visage dans ses mains, sa bouche s'empêtre à chercher la mienne, dans son empressement il ne trouve pas sa cible.

Je t'aime, je t'aime, dit-il, incohérent de désir. C'est si maladroit que j'en suis presque offensée. Pense-t-il que je vais le croire ? Il a la langue dans mon oreille. Les mots s'agglutinent autour de la masse épaisse. L'humidité, l'haleine chaude, le tâtonnement, tout cela me dégoûte vraiment. J'ai envie de le repousser, mais je suis coincée contre le mur, sa main se promène et je l'entends qui murmure, tu ne portes pas de soutien-gorge, et puis il ne dit plus rien du tout, il s'affaire et il patauge et il se noie.

Je le laisse faire.

Il n'arrive pas à me déshabiller, je dois le faire pour lui. Il se libère et essaie de me pénétrer. Ma tête prend des coups au mur, mais je me sens seulement fatiguée. Il est perdu dans mon corps. Il est maigre par endroits, mou à d'autres. Je l'observe. Je vois le cercle de calvitie naissante au centre de sa tête. Comme il est très grand, on ne voit pas qu'il perd ses cheveux. J'ai l'impression de connaître de lui des choses qui le disent en quelques mots et qui le détruisent.

Le dégoût du début a disparu. Les choses redeviennent banales. Comme d'habitude, je ne ressens plus rien. Il s'acharne. Il n'y arrive pas. Fais quelque chose, supplie-t-il. Je hausse les épaules, puis j'accepte.

Tandis qu'il me saisit les cheveux, je pense que j'aurais bien aimé une cigarette.

Une cigarette pour masquer l'amertume de ta bouche. Yeux ouverts, tu œuvres. Dix-sept ans et tu ne rêves de rien. Sauf de continuer à marcher ainsi à côté de toi-même, fuyant tes reflets.

Dix-sept ans et tu crois tout savoir. Ton visage est rocailleux et tes mains sont lasses.

ÈVE :

Quand je passe sous les manguiers, ils me saluent d'un air familier, comme s'ils me reconnaissaient. Je crois que je ressemble à beaucoup de choses, organiques, minérales, aux mues étranges, mais je ne ressemble pas à une femme. Seulement au reflet d'une femme. Seulement à l'écho d'une femme. Seulement à l'idée déformée que l'on se fait d'une femme.

Dans les vitrines, dans les miroirs, dans les yeux, il y a mon visage qui fuit sans cesse. Je ne veux pas me faire capturer l'âme. Je serai tout, sauf une âme captive. Sauf un oiseau aux plumes tailladées. Si je croise mon propre regard, il me glace et m'épouvante. Je m'en veux de m'être aussi hostile.

Un jour, demain, plus tard : rien.

À la maison, il y a un jeu d'esquive. C'est à qui sera le plus habile à ne pas poser les questions qu'il faut. On me voit et on ne me voit pas. Une odeur de mensonge m'assaille dès que je franchis le seuil.

Chaque jour je compte mes pas avant de rentrer chez moi. Ou plutôt, chez eux, car ce lieu n'est pas le mien. Je n'ai pas choisi d'y vivre. Je n'ai rien choisi du tout, même pas de naître. Je voudrais une terre inconnue, et la mer qui la lèche tout au bout, et un unique filao difforme et rabougri comme un vieillard saisi par le vent, et moi assise sous le filao, ne faisant et ne disant rien. Parfois, je monte sur les plus hautes branches du filao et je regarde au loin. Au loin, il n'y a rien. Que la mer, et encore la mer. Le mouvement incessant, au son très doux, de la mer. La terre semble bercée. Une lune s'éveille. Je me recroqueville au bas du filao et je m'endors. Peut-être que je ne me réveille pas.

Sur mon berceau ne s'est penchée aucune fée. Quand j'ai ouvert les yeux, je crois que j'ai tout de suite vu ma vie en face de moi : une surface de pierre, des barreaux aux yeux, un bâillon sur la bouche et du métal au cœur. C'est ce visage-là qui m'a amenée à prononcer, en ouvrant la bouche, ce mot essentiel : non.

Tout masquer et marcher sur des braises, ne rien laisser paraître de soi. Je les laisse croire que je suis à prendre et à laisser. Je les laisse croire que je ne suis rien d'autre qu'un corps, ce corps-là qui, quand ils le déshabillent, les fait frémir.

Un corps si frêle, si maigre, si cassable ; un corps à chérir et à détruire ; c'est ce qu'ils s'appliquent à faire.

Savita et moi, on s'amuse à imaginer d'autres nous-mêmes, nées au bon endroit, dans les familles où la défaite n'est pas inscrite dans les lignes des mains ou dans les genoux pliés. Nous serions médecins ou avocates et nous irions soigner et défendre les faibles et les démunis. Nous n'abandonnerions personne à sa solitude. Nous faisons, comme ça, des rêves stupides. Mais quand elles deviennent médecins ou avocates, ces autres filles-là, oublient-elles leur passé ? Refusent-elles d'ouvrir les portes qu'elles ont barricadées ?

Savita me chatouille les orteils. Je lui lèche la plante des pieds. Nous avons la même peau, parfaitement lisse, sur laquelle la main s'évapore. La partie la plus douce est au creux du dos et à l'intérieur de la cuisse. Quand on se caresse à ces endroits, le temps s'arrête. Je pose la tête sur son ventre et j'écoute le chant de ses organes. Un grouillement de quelque chose, une faim, une envie, je ne sais pas, ou c'est simplement ses intestins qui font leur travail. Nous n'avons pas tellement besoin de parler. Nous savons écouter nos silences.

SAVITA :

Le silence d'Ève, c'est celui qui gronde tout au fond du volcan. Cela me peine de la voir si fragile, qu'elle se croie si forte. Quand elle est sérieuse, son visage ressemble à celui d'un enfant surpris au milieu d'un rêve, les yeux fourmillant de lumières. Elle a le rire rare, mais c'est comme un tourbillon. S'approcher d'Ève, c'est être happé par elle.

Avant elle, je regardais les choses de si loin, rien ne me touchait.

Je devais partir, ce jour-là. Je devais prendre un petit sac et partir tout droit, marcher sans regarder en arrière. J'en avais assez de voir larmoyer mes parents. Que toute la responsabilité de nous sortir de là, d'aider ma petite sœur, de lui donner le bon exemple, retombe sur moi. Nous étions à Troumaron comme des égarés, des réfugiés parmi les réfugiés. Vivre là en prétendant être ailleurs, autre chose, refusant l'évidence de tout ce qui nous rendait pareils aux autres. En désaccord avec nous-mêmes.

J'avais décidé de quitter pour de bon Savita, la bonne fille. Je ne savais pas où j'irais. Mais ce que je voulais fuir, ce n'était pas Troumaron. C'était ma famille. Troumaron était mon lieu, ma peine et mon ancrage. Je ne connaissais rien d'autre. J'avais grandi ici. Mais dans les yeux de mes parents, je voyais une autre Savita, une gentille fille, une bosseuse, une gagneuse. J'étais obligée de ressembler à cette image. Je n'en pouvais plus. Elle n'était pas moi.

Et puis, au collège, je suis tombée sur une Ève naufragée, sur un visage noyé, non par les larmes, mais par les ombres de l'arbre sous lequel elle était assise. J'ai vu la barrière qui l'encerclait de toutes parts. J'ai vu le regard des autres élèves, fuyant et fourbe. Une si grande solitude, que rien ne différenciait de la mort.

Le plus effrayant, c'est que j'avais l'impression qu'elle était moi.

J'ai flanché, alors. J'ai été clouée sur place par sa tristesse. Par la porte ouverte de ses flancs, la vie fuyait. Il m'a fallu la consoler, la prendre en moi comme une mère ou un amant, et lui faire oublier, même brièvement, pourquoi elle tremblait.

Miracle de mes jours. Les flamboyants sont en fleur. Des milliers de lèvres rouges s'ouvrent en même temps après s'être gorgées de l'arbre. Les letchiers disparaissent sous leurs fruits. Une explosion presque indécente de couleurs, comme si un volet s'était ouvert et qu'on apercevait à l'intérieur un corps de lumière nue.

Où que l'on se tourne, les mêmes couleurs vous prennent aux yeux. Le cœur chavire. Même ici, même ici, dans la cité de ciment, l'été arrive. Un buisson vire au bleu pétrole. L'herbe, brièvement, verdit avant de jaunir de nouveau. Les femmes se battent sur leur balcon pour de minuscules floraisons en pots. Elles chantent, débarrassées de leur lourdeur au ventre. La nuit, on arrive à démêler l'odeur des fruits de celle des ordures. Pendant un temps très court, c'est celle des fruits qui gagne.

L'été nous assoupit à ses débuts, avant que la chaleur renouvelle l'appel du dépotoir et remue de nouveau nos ombres, touille nos sédiments endormis.

Moi, fenêtre ouverte sur tout ce qui peut ameuter la nuit, je la ressasse. La sonorité de ses yeux, son corps qui contredit et nourrit les fantasmes. Le genre de corps qu'on pourrait faire disparaître tout entier à l'intérieur de soi. Qu'on pourrait manger. Le genre de corps que l'on peut replier dans toutes les positions possibles pour en atteindre les impossibles recoins. Et qui, des orteils aux extrémités de ses cheveux, serait un égarement. Ses orteils auraient un goût de longanes. Ses cheveux, un parfum d'algue et de nuit. Son sexe, l'odeur tubéreuse des fleurs de frangipanier et la tiédeur à moitié pourrie de la mangrove.

Ah, je voyage, je ne cesse de voyager. Je l'imagine avec d'autres, avec tous les autres. Ça m'excite encore plus. Je suis jaloux, mais en même temps, je sais que je suis le seul à l'aimer. Elle m'attend. Je le sais. Je le sens.

Je suis jeune : prenez-moi la main.

Oui, lui, le poète, il disait cela à dix-sept ans, par excès d'espoir. Par excès de croyance, par excès de promesses. Il avait l'écriture. Et puis un jour, il a laissé de côté ce don trop pesant. Moi je veux les deux choses : l'écriture et Ève. Ève et l'écriture. Pas l'une sans l'autre. Seul, je ne suis rien. Elles sont les fruits qui me remplissent, les graines qui feront germer d'autres graines et multiplier ma voix comme un banian qui sans cesse dévore l'espace.

Je sais que, pour l'instant, je ne peux pas créer. Je ne fais que singer. Ma voix n'est pas la mienne. Cette langue n'est pas la mienne. Je ne sais même pas à qui je parle.

Mais cette chambre finit par devenir quelque chose de vrai. Je relis la folie sur les murs, en encre noire et blanche, et je me dis que je suis aussi en train de créer, même si c'est avec les mots des autres. J'étais un enfant qui balbutiait des mots. Je deviens un homme qui les apprivoise. Bien sûr, le jour où ils ouvriront la porte, ils ne comprendront rien, ils ne sauront pas ce qui se dessine derrière les coups de burin et de boutoir. Mais d'avoir tout mis là me console. J'ai fait acte. Je ne sais pas ce que tout cela vaut, mais j'ai fait quelque chose. Je ne suis pas resté immobile à pâlir jusqu'au tombeau. Je m'inscris, au lieu de m'effacer. Je me suis fabriqué un pont avec un gamin qui avait aussi sa rage au ventre, même s'il ne me saura jamais. Il me dit :

L'étoile a pleuré rose au cœur de tes oreilles, l'infini roulé blanc de ta nuque à tes reins et l'homme saigné noir à ton flanc souverain.

Je suis jeune : prenez-moi la main.

J'aime une fille dont on a piétiné le corps. Mais le jour où je serai en elle, j'effacerai toutes ses marques : elle sera neuve.

Je suis jeune : j'aime.

C'est le soleil entré dans mon corps. Elle est l'urgence de ce que j'écris. Portrait d'Ève sur les échos de ma chambre. Phrases qui la dessinent, qui la déclinent. J'aime.

Je crois aux possibles. Oui, même ici. Même dévalant nos propres pentes. Un mot me l'a décrite, ce jour où nous sommes descendus à vélo depuis la Reine de la Paix. Ce jour-là, au moment où elle m'a dit qu'elle ne dirait jamais je t'aime, j'ai vu le mot qui la décrivait, un mot plein de résonances et à la fois étrange, dans ces parages : la grâce. Si cette grâce-là fait partie de mes possibles, ai-je pensé, je peux tout.

Port Louis me regardait d'un autre œil. Port Louis la noire, la vilaine, Port Louis défigurée par des formes grotesques, Port Louis l'infranchissable dans ses marées humaines, j'ai cru qu'elle me faisait de l'œil. Ses pigeons noirs ponctuant tous les toits ont accepté de me décoder ses humeurs. La ville me disait : s'il y a des instants comme celui-ci et des visages comme le sien, alors, tu devrais m'aimer, rien que pour cela.

Je le sais, je ne suis qu'une contrefaçon. Mais une goutte bleue est entrée en moi. Je la transforme en encre de gamin noir déchirant les murs. Cette histoire que vous lisez sur mes murs, ses mots ne partiront que quand les immeubles poussés de la mouillure des cyclones auront disparu.

Parfois, quand le vent vient de la montagne des Signaux, quand je vois les feux brûlant sur ses flancs, des feux de broussaille, des feux de détritus, je me dis qu'au fond il y a du beau, ici aussi, et quelque chose crépite et un feu s'allume dans mes broussailles.

J'oublie ce que je suis, d'où je viens. Le vent de la montagne efface le nom de Troumaron sur mes lèvres et dans ma mémoire.

J'ai envie de partir et j'ai envie de rester. Entre les deux, je suis immobile. Mais mon corps, lui, ne cesse de voguer sur notre mare aux songes, au gré d'Ève.

CLÉLIO :

L'usine sent la graisse de moteur, les déchets pourris, les sandales éponges abandonnées, les corps gaspillés. Parfois je viens ici tout seul, juste pour voir comment la vie ment aux pauvres. C'est salutaire. Ma mère, quand elle a eu du travail ici, elle a cru que tout avait changé. Avec son premier salaire, elle m'a acheté des chaussures Nike, elle croyait que ça me ferait plaisir, elle n'avait jamais remarqué que j'en avais plein, des chaussures Nike, qu'on avait nos combines pour obtenir tous ces trucs inutiles, j'avais besoin de rien, j'avais besoin d'un guide, j'avais besoin d'une raison.

Après, de semaine en semaine, elle a changé. L'usine a poussé et s'est enfoncée à l'intérieur de nos vies. Ma mère me rapportait à présent des pulls ratés. Si je vois encore un pull Ralph Lauren avec une manche plus courte que l'autre, je le découpe en morceaux et je le fais avaler à ce monsieur qui a fait de nous des êtres bancals. Mais nous, c'est pas les manches. C'est les bras, ou les jambes, ou les yeux, qui sont dépareillés. Nous sommes un gribouillis d'humanité.

Elle est devenue plus petite, plus grise. Elle ne voyait plus le soleil. À la fin de la journée, quand elle rentrait, elle était comme une mauvaise photocopie d'elle-même. Quelque chose avait passé une gomme sur ses traits. Mon père, assis dans un fauteuil, l'attendait. Il passait sa journée à l'attendre, comme un vieux con, avec ses yeux d'enfant perdu, mais tout ce qu'il trouvait à lui dire quand elle arrivait, c'était, tu as apporté à manger ? Il n'arrivait pas à lui dire autre chose. J'avais envie de l'étrangler quand il disait ça. Laisse-la s'asseoir, retirer ses chaussures, boire un verre d'eau, espèce de merdeux, j'avais envie de lui dire, et va te préparer ta bouffe toi-même. Ou dis-lui que tu as passé ta journée devant la fenêtre à guetter son ombre.

Elle avait des cernes comme le caveau du père Laval, il fallait descendre tout au bas pour voir ses yeux. Ses cheveux ont commencé à tomber. Ils étaient comme de la ficelle. Je crois qu'elle ne mangeait pas assez. Ses mains, c'était la surface de la lune : remplies de cratères.

Et puis, ils ont fait venir des ouvrières chinoises qui travaillaient vite et bien et sans se plaindre. Ou peut-être qu'elles se plaignaient dans leur langue, et personne ne les comprenait. Ils ont dit aux Mauriciennes qu'il fallait qu'elles fassent pareil si elles voulaient garder leur boulot. Certaines ont été virées. Ma mère, elle, s'est accrochée. Elle est pas une perdante, ma mère. Elle est une battante, comme moi. Enfin, pas exactement, mais presque. Mais finalement, elle aussi a été virée quand l'usine a fermé parce que ça coûtait quand même trop cher de produire les pulls et les chemises ici. Mon père a dit qu'entre les géants américains et chinois, notre pays était une fourmi qu'on ne remarquait même pas quand on marchait dessus. Tu y penses à deux fois, toi, avant d'écraser une fourmi ? demandait-il. Ben pour eux, c'est pareil. C'est pas de l'injustice, c'est la logique économique.

Parfois, mon père, il était moins débile qu'il en avait l'air.

J'aurais bien voulu que Carlo nous envoie un peu d'argent, nous aide, quoi, même s'il ne veut pas revenir. Mais il n'envoie rien. Il téléphone à Mam, et son visage s'allume comme s'il venait d'être décoré pour la Noël. Ça me fait rager, la figure de Mam qui s'illumine pour le faux Carlo, qui croit à tous ses bobards, qui me dit, *li pu fer mwa vinn kot li en Frans, li ena enn zoli lakaz ek dis lasam,* ouais, j'ai jamais entendu parler de gens de Troumaron qui ont une maison avec dix chambres en France et qui pendant dix ans promettent à leur mère qu'ils vont les faire venir et qui ne le font jamais.

Moi, Carlo, je fais un trait dessus. Enfin, le faux. Le vrai, il est là, près de moi. On s'assied sur le toit et on rigole, on se raconte des histoires, comme avant, il est mon grand frère beau comme un dieu et quand il est là j'ai peur de rien.

Ce soir, j'ai ma guitare avec moi. Je m'allonge avec le dernier soleil qui me barbouille la tête et je mets ma guitare sur mon ventre, je joue paresseusement. Je chante des chansons que j'invente, mais que je ne chante pas pour les autres. Carlo, s'il était là, comprendrait.

Ki to pe atann ? Personn. Ki lavi finn donn twa ? Nayen. Komye dimunn inn fer twa promes ? Zot tu. Komye dimunn inn gard zot parol ? Okenn. Dimunn pa gard parol, zot zis kass to leker, pa bizin per, fer kuma zot, kas zot leker, pas to simin, pa krwar nayen. Pa krwar nayen, to pa pu sufer. Pa krwar nayen to pa pu sufer.

Je ne crois en rien. Mais je souffre quand même.

SAVITA :

Après les cours, elle me dit, je dois y aller. J'essaie de la persuader de rester, mais elle se replie, comme toujours, à ces instants-là : j'ai fait un pas de trop.

Ève l'inflexible, c'est comme ça que je t'appelle.

Je t'ai accompagnée souvent. Je t'ai souvent ramenée chez toi. On dirait que je suis toujours là au bon moment pour te ramasser. Mais c'est parce que je suis à l'écoute de toi. Tu n'appelleras jamais. Mais je t'entendrai quand même.

Mais à ainsi te regarder te fuir, je me sens triste. Tu peux dire non, si tu veux. Pourquoi toujours te livrer à eux ? Pourquoi toujours te lier à eux ? Je ne comprends pas.

Je voudrais te protéger. Je voudrais t'empêcher de te perdre. Je voudrais être celle qui te sauve de toi-même.

Parfois, tu as la voix brisée. Parfois, j'ai les yeux brisés de te voir. Personne n'est innocent et j'en veux au monde.

Je donnerai ma vie pour toi.

Cela paraît si simple. Toi seule sauras ce que j'ai voulu dire. Ce qu'il y a de miracle et de peine dans ces mots.

Assise sur le balcon, je regarde vers toi. Ici, rien n'est à moi, sauf toi. J'entends l'impatience de mon père, qui attend que le coffre aux trésors s'ouvre pour lui. J'entends l'incrédulité de ma mère, qui l'écoute rêver et le méprise. J'essaie de m'écouter, moi, mais je n'entends rien d'autre que l'air qui entre et qui sort de mes poumons. L'automatisme du corps. Et l'absence d'une vie.

Mon petit sac est resté dans mon placard, toujours rempli, attendant toujours que je me décide à partir.

L'odeur du repas me fait penser que tu as faim sans le savoir, toi qui ne grignotes plus que des fruits aigres.

Tu ne trouves pas que j'ai une figure de souris ? m'as-tu demandé un jour.

J'embrasse ta figure de souris. Tu es la beauté du monde, son illumination.

ÈVE :

L'eau bondit, s'échappe, se disperse. Elle transvase
mille souvenirs et mille rebuts. Des papiers, des boîtes, de
la vaisselle brisée, une odeur de mouroir. La vie du quartier est entraînée par l'eau du ruisseau, qui s'enfle et
déborde de ses berges.

J'attends que le ruisseau se calme pour pouvoir rentrer.
Je ne veux voir personne. Que descende la nuit et que tout
disparaisse, y compris les abords des gens et la forme des
choses.

L'autre jour, dans ce bureau où on m'avait appelée, j'ai
regardé la ville et je l'ai vue comme ce jour-là, avec Sad,
au monument de la Reine de la Paix. Pâle et endormie. De
là-haut, tout est émoussé. Les tranchants sont limés, les
plaies rafistolées. Le bureau climatisé, amorti par la
moquette, a une odeur de cuir neuf. Les fauteuils donnent
l'envie de s'y lover. Il y a un grand tableau de Chazal dans
le reflet de la vitre. Il me fait un clin d'œil. Je le reconnais.
Un prof nous a parlé de lui. J'ai vu dans son dodo ventru et
dans sa fleur rieuse des rêves d'enfant longtemps oubliés.

J'aurais pu dormir ici, à l'abri, dans cette bulle qui
contredit la réalité. J'aurais pu dormir dans l'étrangeté du
cuir et le sifflement du climatiseur et la lumière sans texture ni tessiture. J'aurais dormi dans ce lieu blanc, où je
serais protégée du soleil et des cris. Dans cette pénombre,

non du jour, mais des sens, je me sens bien. Mais je sais que si je dors là, je me réveillerai, le cœur glacé. Le corps transi de l'absence de vie. C'est peut-être cela que l'homme qui boit un whisky sur l'autre, de l'autre côté du bureau, tente d'exorciser avec moi. Il a besoin d'un corps pour le décongeler. Il a besoin d'une vie pour se croire en vie. Je le comprends : il a lutté pendant si longtemps pour en arriver là qu'une fois arrivé, il ne sait plus ce qu'il veut. Il s'est construit une vie, mais il n'y a pas sa place.

Il regarde la fille aux yeux d'enfant, debout devant la fenêtre. Je ne suis pas pressée. J'attends. Je regarde. Je regarderais toute la nuit, s'il me laissait ici. La ville, le noir, la perte.

Ce que vous cherchez n'est pas ici, ai-je envie de dire. Mais je l'entends qui me répond : ce que tu cherches non plus.

Tu es calme. Tes cheveux ont des éclaboussures noires. Ton visage est grave. On lui a parlé de toi. On lui a dit, elle n'est pas comme les autres. Il se rend compte que c'est vrai. On lui a dit, elle fait tout. Il ne sait pas encore si c'est vrai. Tu ne demandes rien. Tu es austère et envoûtante, voilà ce qu'il pense de toi. Mais ils lui ont aussi parlé de ce qu'ils t'ont fait. Des fêtes où tu étais seule, et eux, nombreux. Comment un matin, ils t'ont laissée presque sans vie non loin de ton quartier.

Il n'a aucun mal à l'imaginer. Tes os sont si minces.

Que veux-tu ? Que cherches-tu ?

Au même moment, tu te retournes et il se lève, défaisant la ceinture de son pantalon.

ÈVE :

Le ruisseau se calme. Moi aussi. Un jour, j'ai été déposée ici par des hommes rendus fous par l'alcool et par mon corps. Ils ne m'avaient pas emmenée dans un bureau climatisé mais sur une île aux abords de l'île, une île de vents, d'oiseaux, de broussailles et de serpents.

Ils ont bu et la lune est entrée dans leur tête. Ils ont fait une sorte de danse autour de moi, ils ont enlevé leurs vêtements, ils ressemblaient à des oiseaux lourds et maladroits sur leurs pattes maigres. Quand ils se sont jetés sur moi, j'ai vu que j'étais quelque chose d'étranger à leurs yeux. On détruit ce qui nous est étranger. Ensuite on le ramène comme un sac de sable dans un bateau où l'eau le lave.

Le sac de sable, quand il se réveille, regarde le ciel dense d'étoiles et se dit : c'est la dernière fois.

Mais les hommes me cherchent et la vie m'entraîne et je suis tellement indifférente à moi-même que je continue.

Je cherche à savoir où se trouve le fond de la vie. De quelle couleur il est. À quoi ressemble le point de non-retour qui me dira enfin ce que je suis.

Je continue d'avancer. Un pas devant l'autre, mais c'est toujours le même pas, refait à l'infini. Un piétinement sur place, sans but autre que d'être sa propre contradiction.

Ce piétinement croise celui d'autres filles, d'autres femmes, d'autres garçons, d'autres hommes. Certains foncent tête baissée en avant. D'autres reculent. Tous s'éloignent, me laissant seule.

Mon corps est broyé par des ondes contraires, par un tumulte de vents.

Ils courent pour s'échapper, avalant l'âpreté de leur destin. Je surnage.

Par la fenêtre ouverte, personne ne me répond. J'aurais voulu comprendre ce qui me guette, ce qui me guide. L'origine de ce refus. Ce qui a enraciné en moi la négation.

La directrice du collège m'a dit : Vous vous devez de réussir. Puis elle a ajouté en anglais : *You owe it to yourself.* Et enfin, en créole : *Pa gaspiy u lavi.* En trois langues, elle m'a dit la même chose. Que je suis responsable. Je dois oublier où je rentre, le soir, et que les cafards suivent le même chemin que moi, et que ce chemin est ponctué d'éclopés. Des fragments de corps, de bras, de jambes, d'yeux. Des gens réduits au plus invisible d'eux-mêmes. Sur ma route me suivent des regards interrogateurs et flous, qui semblent me demander, qui es-tu, toi qui marches avec ces yeux sans attente ?

Elles ne me comprennent pas, ces déshabituées de la vie, qui se glissent et disparaissent entre les plis de la cité.

Les ordures martèlent la route comme de la grenaille. Les ornières semblent creusées par des tirs de mortier. À la télé, on entend parler de guerre. Mais ici, j'ai l'impression de vivre en état de siège. Nous sommes en guerre, oui, contre nous-mêmes et contre ces organismes qui croissent, parasitaires, sur nos flancs.

Mais ce n'est pas seulement la ville. Le monde aussi fait la guerre à tout ce qui titube, à tout ce qui ne marche pas du pas du conquérant. Ses rythmes lointains ne sont pas pour nous. Mieux vaut naître aveugle pour ne pas regarder sa colère dans les yeux. Chacun fourbit ses armes. Tous naissent avec cette chair nue et disponible. Ensuite, chacun se fabrique son armure d'épines, sa griffure de ronces. Mais l'héritage des sexes n'est pas le même. Nous ne naissons pas avec la même charge.

Que donnent les hommes en échange du corps ? Leur corps à eux n'est pas donné : il prend. Ils se gardent bien. Ils sont les protecteurs de leurs ombres. Nous sommes des papillons volés, même au plus fort de notre bravade, même au plus fort de notre offense. Nous sommes des corps volés.

Les jours se suivent. Savita tente de me retenir, de m'entrelacer, de me soustraire à moi-même, mais c'est trop tard. Elle ressemble déjà à un doux souvenir. Je sais qu'elle ne me suivra pas, là où je vais.

Quand je lui dis, je reste au collège après le cours, elle me regarde et ne répond pas. Lourde de tout ce qu'elle n'arrive pas à dire, le cœur flanché.

Un jour elle m'a dit, je t'attends.

Et depuis, chaque fois, elle m'attend, comme elle m'attendra ce soir.

SAD :

Elles se faufilent entre les murs comme deux petites fantômettes qui ont décidé de se moquer de nous. Elles font leur danse au visage de tous en pensant que personne ne remarquera quoi que ce soit. Elles auraient l'air presque virginales, ces deux petites, si leurs gestes n'avaient cette lenteur qui parle de nuit plutôt que du grand jour. Je les verrais bien en vestales, si elles faisaient de moi leur divinité. Toutes vêtues de blanc, à peine les voiles cacheraient leur cœur souple, leurs reins à l'air, leurs fesses brunes.

Mais elles sont comme les deux mains d'un corps. Elles n'ont pas besoin d'une troisième. Elles peuvent faire ce qu'elles veulent, quand elles veulent. Nul besoin de garçons dans leur sourire. Leurs yeux les verrouillent l'une à l'autre. Nous sommes invisibles.

Cela énerve la bande. Je sens quelque chose qui change en eux, eux qui ont jusqu'ici toléré les frasques d'Ève, la joliesse distante de Savita, et même ce qui les avait au début rapprochées. Mais ils n'ont plus envie qu'on pavane ces corps féminins sous leur nez sans leur en offrir un bout. Ève peut passer d'homme en homme, mais quand elle est avec Savita, c'est là qu'elle s'évade. Nous ne sommes pas à vous, disent-elles. Nous ne le serons jamais. Sur la pointe des pieds, elles se faufilent, elles ondulent. Les cigarettes fortement aspirées allument une lueur néfaste dans l'œil des garçons. Kenny murmure, ces deux-là, il est temps qu'on leur donne une bonne leçon. Les autres, par désœuvrement, s'excitent. Ouais, c'est quoi leur jeu ? Un jeu de filles, mais c'est sûr, elles savent pas ce qui les attend, les maquerelles.

Ainsi parlent-ils.

Je m'évertue à les calmer, à leur changer les idées. Je dois utiliser toute mon imagination pour trouver de quoi les distraire. Je dis à Clélio, eh, Clélio, la voiture dont tu as noté le numéro, tu te souviens, j'ai l'adresse, j'ai un oncle qui travaille aux enregistrements. Mais Clélio est dans son propre monde, il se ronge les ongles jusqu'à dénuder la chair vive au-dessous, et après il se ronge la chair, il n'a pas le temps de m'écouter. Les autres, par contre, sont pour : allons dégonfler les pneus de la monstre 4 × 4, disent-ils. Allons effrayer la petite dame en cassant ses fenêtres.

Personne n'a tellement envie d'y aller, mais quand tu es en bande, il faut oublier que tu es une personne, il faut faire partie de ce corps chaud, mobile, puissant, que rien ne peut arrêter. Quand tu es en branle, il faut aller jusqu'au bout.

Clélio ne veut pas venir.

Laisse-le, dit Kenny, il est parti dans son délire.

On ne peut pas le laisser seul, dis-je.

Laissez-moi seul, dit Clélio, qui en est à s'arracher la peau morte sous la plante des pieds.

Je le laisse, parce que je veux les éloigner de Savita et d'Ève. Je veux détourner leur attention d'elles.

Nous abandonnons la cité à la colère facile de Clélio.

ÈVE :

Savita vient de me quitter devant mon immeuble. Je ne suis pas rentrée tout de suite, comme d'habitude. Ce soir, plus que jamais, tout cela me pèse. Le prof me déroute. À sa manière de reptile, il semble vraiment amoureux de moi, pour autant qu'un homme, ça peut savoir aimer. Il passe de longs moments à me regarder et à soupirer, et puis, d'un seul coup, il se délivre d'une violence rentrée qui ne me met même pas en colère.

Ce soir, il s'est passé quelque chose de bizarre. Ça ne m'était jamais arrivé avant.

Au moment où il s'en est rendu compte, il a eu l'air bouleversé, comme s'il allait se mettre à pleurer. Je n'arrive pas à le lire. Je ne crois pas qu'il ait seulement envie de mon corps, comme les autres. Je crois qu'il a envie de moi aussi, du moi qui se trouve tout au fond, dans la partie molle recouverte par la croûte de froideur. J'ai l'impression que, quand il plonge ses mains en moi, c'est pour chercher cela. Pour me chercher là où ça me fait si mal d'être touchée. Mais peut-être veut-il comme les autres me voir grimacer de douleur, et c'est tout. Peut-être qu'il est un homme comme tous les autres sont des hommes.

Heureusement, Savita m'attend chaque fois devant le collège. La voyant, j'oublie ce qui s'est passé avant.

La voyant, je regarde vers les instants qui suivront et referme la porte sur ce qui me désunit.

Je pense à Savita, ce soir, qui me sauve de moi-même.

SAVITA :

J'ai peur, ce soir. Je rentre à ses côtés, mais après ce que j'ai vu, je ne peux pas m'arrêter de trembler. Elle, pourtant, semble calme, distante de tout, même si ses cuisses sont rouges.

Je me sens faible et vertigineuse. J'ai du mal à marcher. L'air est boueux. Il fait si chaud que mon corps est graisseux. Ce n'est plus moi qui la soutiens, c'est elle qui me guide. Je repense à ce que j'ai vu, dans la salle de classe. Je n'ai pas voulu regarder. Mais comme elle tardait à sortir, j'ai pensé qu'elle était peut-être déjà partie. Je suis montée. La porte n'était pas tout à fait fermée.

Je crois qu'il m'a aperçue, ou bien il m'a sentie. Pas elle. Elle était oubliée. Je me suis écartée. Je suis redescendue pour l'attendre. Lorsqu'elle est venue, j'ai su à ses yeux qu'elle ne savait pas que je l'avais vue. Elle m'a pris par le bras, comme d'habitude. J'ai levé les yeux. Quelqu'un nous regardait d'en haut. Ce regard est entré en moi. J'ai senti sa morsure.

Je me suis dépêchée, mais mes pieds étaient lourds. Elle m'a entendue souffler et elle a dit, qu'est-ce qu'il y a ? Mais comme d'habitude, ces soirs-là, elle n'est qu'à moitié présente. L'autre moitié est ailleurs. L'autre moitié tente de se rassembler et de se résoudre.

Il faut que je lui parle. Nous devons partir, nous échapper. Les garçons de la cité deviennent des hommes, avec des haines d'homme. Bientôt, ils s'en prendront à nous. Ils ne supporteront pas de nous voir ensemble, toutes les deux. Elle ne fait pas attention à eux. Moi, si. Je vois la colère qui s'enfle. Je vois la chaleur qui fermente les esprits. Nous devons partir.

Mais comment fuir quand on se sent si lourd ? J'ai du mal à marcher. J'ai du mal à respirer. La terre s'est attachée à mes pieds. J'ai les pieds pris dans la lave. Bientôt, je ne pourrai plus bouger. Le volcan me déchirera en morceaux.

Promets-moi de ramasser mes morceaux, Ève, dis-je.

Qu'est-ce que tu racontes ? demande-t-elle.

Je ne sais pas.

Elle m'entoure de son bras.

Ma Savita adorée, dit-elle, non seulement je ramasserai tes morceaux, mais je les mangerai, comme ça tu seras pour toujours en moi.

J'ai essayé de plaisanter : J'ai toujours su que tu étais cannibale !

Elle m'a mordu doucement l'épaule. J'aurais voulu qu'elle laisse la marque de ses dents dans ma chair. Ce sera mon seul souvenir d'elle.

Au moment de nous séparer, je me rends compte que je pleure, sans savoir pourquoi. Nos appartements ne sont pas loin l'un de l'autre. Je la laisse devant son immeuble. Moi, je n'ai qu'à passer devant le local à ordures, et je serai chez moi. Mais dans le noir, cela a l'air d'être un très long chemin. Aussi long que la vie.

DEUXIÈME PARTIE

SAD :

Hier était une nuit ordinaire. Hier était un autre monde. Et ensuite, au matin, cela. Personne ne peut comprendre ce qui est arrivé. Même à Troumaron, ça ne s'était jamais passé, pas comme ça, en tout cas. Le quartier est calme comme il ne l'a jamais été. Chacun se terre. Personne n'ose dire, ça devait finir par se produire. Nous ne voulons pas croire ça de nous-mêmes.

Elle a été retrouvée dans le local à ordures, enfoncée dans une poubelle.

Personne n'a rien entendu. Évidemment, tout le monde avait le visage tourné de l'autre côté. L'ignorance est notre seule protection.

Nous, les garçons, même si on avait su quelque chose, on n'aurait rien dit. On ne dénonce pas.

Nous savons que certains d'entre nous camouflent des monstres sous leurs airs ordinaires. Que leur apparence banale cache des yeux tueurs. C'est un héritage d'enfance, que cette brutalité-là, mais elle n'apparaît pas toujours au début. Parfois, ce sont les plus silencieux, les plus endormis. Leur paupière semble lourde. On ne voit pas que leur regard est lézardé de rouge. Quelque chose de brumeux masque leurs flétrissures. Mais la plupart sont des gamins ordinaires. Nous jouons à être des terreurs, mais au fond, nous ne faisons rien de bien terrible. Au bout d'un temps, on rentre dans les rangs, après avoir cru en notre liberté et en nous-mêmes. Alors, on ne comprend pas.

Qu'est-ce qui s'est passé ? Personne ne lui en voulait, à elle, à Savita.

Je pense à la dernière phrase que j'ai écrite sur les murs, hier soir : Ta bouche à la mémoire rouge s'ouvre pour recevoir le sang de l'homme souverain.

Je faisais du sous-Rimbaud, comme d'habitude. Mais c'est vrai : l'homme est souverain. Il cessera de l'être quand le monde changera d'orbite.

Lorsque je revois Ève, je suis tétanisé par son visage. Elle s'est perdue d'un seul coup. Elle s'est oblitérée.

Je comprends maintenant pourquoi elle ne pouvait pas dire je t'aime à un homme.

Exsangue, échevelée, émaciée. Elle est assise près du ruisseau. Elle ne pleure pas. Elle est ramassée comme un œuf. Elle mâchonne la chair de sa peine. Elle essaie de la recracher, mais cela colle à l'intérieur de sa bouche et au fond de sa gorge. Elle a des haut-le-cœur mais rien ne sort, pas la moindre salive de délivrance. Je n'ose même pas la toucher. Elle est partie bien loin.

Je peux seulement rester assis auprès d'elle et la regarder trembler. Au fur et à mesure que le jour passe et que le tremblement ne s'arrête pas, je la vois s'éloigner dans son souvenir, disparaître dans sa perte. Elle est perdue. Ève ne sera jamais à moi. Je ne cesserai jamais de l'aimer. Mais, pour moi aussi, quelque chose est mort. Je ne serai jamais le même Sad. Je n'avais pas compris la tristesse, jusqu'à ce jour.

On voit de loin les voitures de police qui arrivent. Il y a

du bruit dans la cité. Les gens auraient préféré se cacher. Mais la présence de la police change tout.

Je prends ses mains fermées en poing et je les ouvre. Sa paume est constellée de petits croissants rouges, comme si la nouvelle lune avait marché dessus. Je mets ma bouche sur les croissants rouges. Elle enlève ses mains. Elle a envie de se faire mal. Elle a envie de crier. Mais elle n'y arrive pas.

Parle-moi, lui dis-je.

Je l'ai vue hier soir, juste avant. Dit-elle.

Nous nous sommes séparées à quelques pas de là où.

Je ne suis pas rentrée. J'aurais pu la suivre, la retenir encore un peu, être avec elle.

Mais je suis venue ici, près du ruisseau. D'ici, je n'ai rien vu.

Je n'ai rien vu.

Je suis la dernière. J'aurais pu. Si j'avais. J'aurais dû. Pourquoi. Si. Mais. Au lieu de. Elle. Et ensuite.

Elle finit par s'enrouler sur elle-même avec un grincement d'essieu. Elle cogne à poings fermés sur le sol. Elle cogne si fort que la terre gicle de tous côtés. Elle se relève et se met à donner des coups de pied partout, manquant de me heurter aussi. Je me lève et la retiens. Au bout d'un moment elle se calme, même si sa voix continue de lanciner.

Elle me demande :

Qui a fait ça ?

Je ne sais pas. Je n'en ai aucune idée.

Ce n'est pas possible, dit-elle. Vous êtes partout, vous entendez tout, vous savez tout. C'est quelqu'un de la bande qui a dû faire ça. Vous le savez et vous n'allez rien dire, juste pour vous protéger les uns les autres.

Ce n'est pas vrai. Ève, je te jure qu'on n'était pas là hier soir.

Vous étiez où ?

En virée. On ne faisait rien de précis, On cherchait juste des gens à effrayer.

Elle m'imite avec une ironie sauvage : On cherchait juste des gens à effrayer. Vous ne cherchiez pas quelqu'un à tuer aussi ?

Debout, elle me regarde avec tant de mépris que je ne sais pas où me mettre.

Tu as écrit « l'homme souverain », dit-elle. Pour toi aussi, ils sont souverains. Tu n'oses pas leur tenir tête. Tu n'oseras jamais les dénoncer. Il te faut appartenir, à tout prix. Tu es un lâche et tu es un frimeur et tu es un menteur. C'est tellement triste.

Elle s'en va sans attendre d'autres explications. Mais je n'ai pas menti. Je suis peut-être lâche, mais je ne suis pas un menteur. Et elle ne sait pas que je la protège des loups.

Moi aussi, je me mets à déchirer le sol, mais personne ne me voit. Ce qui me tord le ventre n'est connu que de moi seul.

ÈVE :

Le corps est allongé nu sur la paillasse, comme prêt à être découpé. Mais ce n'est pas une autopsie.

Allongée, nue, sur une paillasse de la salle de biologie, j'essaie de m'imaginer à la place de Savita, étalée sous le regard des policiers et des médecins, attendant de livrer ses secrets. Attendant d'éclabousser de rouge la faïence blanche. Mais non, un corps mort n'éclabousse pas. C'est d'un corps vivant que jaillit le rouge.

Sadiq a écrit, sur le mur du palier : La mémoire rouge s'ouvre pour recevoir le sang de l'homme souverain.

Qu'est-ce qu'elle a reçu, elle, Savita, de l'homme souverain ? Des coups. Des entailles. Et peut-être autre chose.

Et moi, ce n'est pas du sang que je vais recevoir, mais la laitance du mâle qui envahit et noie la femelle, qui disperse en elle ses doubles potentiels par milliards.

Mais je ne serai pas porteuse de ses doubles. Mon corps ne sera pas colonisé.

Mon corps est allongé, nu, sur la table.

Un corps maigre à chérir ou à déchirer, disent-ils.

Pour l'instant, il me chérit et me déchire en même temps. Il peine et chancelle sous l'effort du désir. Je ne l'ai jamais vu aussi détruit. Son ombre sur le mur est gigantesque. C'est une créature monstrueuse qui me surplombe.

Cela ne ressemble à rien d'humain, cette ombre voûtée, vacillante, d'où s'échappent des bruits de gorge et de déglutition, les bruits d'une souffrance inhumaine.

Pourquoi suis-je venue ce soir ? Après ce qui est arrivé à Savita ? Ma place n'est pas ici. Mais je n'ai pas de place. Je ne peux pas faire le deuil de Savita chez moi, ni chez elle.

Alors je le fais ici, de toute la force de ma haine. Je hais ta mort, Savita, et je hais cet homme qui se délivre en moi sans se préoccuper de savoir si je suis vivante ou si je suis morte.

Après, quand il aura fini de baver, je me lèverai, et pour mieux achever sa déroute, je m'assoirai à cette même table pour faire mes devoirs dans le silence de la salle, l'odeur proche des corps, mes vêtements bafouillés, mes cheveux humides, ma bouche desséchée, mon corps évidé, mon esprit élimé, mes souvenirs crasseux, mes jours achetés, ma fierté éventrée, mon sexe désengorgé, et les lettres du savoir s'accrocheront comme du plomb à la page sans rien me dire, sans aucun rayonnement, m'exhibant leur impuissance et leur indifférence parce que Savita ne sera pas en bas à m'attendre comme d'habitude pour renouer le mince filin de vie dans mon corps et sans cela, je n'ai pas de vie, rien pour me suspendre au-dessus du vide, rien qui m'empêche de me laisser tomber.

Comme elle. Mais elle ne s'est pas laissée tomber. Quelqu'un d'autre l'a fait pour elle. Quelqu'un qui a pensé qu'elle ne valait pas mieux que les ordures dans lesquelles il l'a enfoncée.

Au moment de partir, il dit : Et cette fille trouvée morte à Troumaron ?

94

J'attends un instant, puis je réponds : Je la connaissais.

Je vois l'autre question qui vacille sur ses lèvres, qu'il n'ose pas prononcer. J'y réponds quand même : Oui, vous aussi.

Je sais que quand je pars, il reste à la fenêtre, dans le noir, il me voit disparaître dans la cour du collège. Il se demande s'il me verra demain. Ou bien, si moi aussi, en rentrant seule, ce soir.

La route est crayonnée par les feux des voitures, par des passages insensibles. Et lui ? Est-il insensible à ce qui est arrivé ? Me caresse-t-il comme si j'étais un corps mort, moi aussi, sur la table d'autopsie ? Quelle différence y a-t-il ?

Sur la paillasse de la salle de biologie, il a disséqué un corps humain, voilà tout.

CLÉLIO :

La cité fourmille d'uniformes.

On n'aime pas ça. On se sent mal, même si on n'a rien sur la conscience. Les uniformes, c'est pas fait pour nous.

J'ai l'impression qu'on me regarde d'un drôle d'air. Ma mère larmoie comme une madone dès qu'elle me voit. Mon père a l'air d'être assis sur des braises. Mais je n'ai rien fait. Je ne suis pas responsable. Si j'ai envie de massacrer les gens, ce n'est pas ceux qui ne peuvent pas se défendre. C'est ceux qui piétinent les autres.

Le ciel est lourd. Le vent rôde bas. Ceux de la bande me fuient. Je ne comprends pas pourquoi. Je ne suis pas allé avec eux hier soir, mais ce n'est pas une raison pour me faire la gueule.

Tous des lâcheurs. J'essaie de chanter, mais le ressentiment avale ma voix, à peine sortie. Je ne chante pas pour être heureux, mais pour parler à Savita. Évidemment, personne ne le comprend. Ils ne comprennent pas qu'on peut parler à des ombres plus vivantes qu'eux.

Où que je me tourne, les policiers sont là. Le local à ordures, c'est le cœur de la fourmilière. Qu'est-ce qu'ils pourront bien y trouver, à part le cadavre d'une fille ? Vous croyez qu'à Troumaron un ange descendra pour leur montrer la lumière ? Non, ce qu'il y a ici, c'est la mort. S'ils

96

sont surpris quand elle arrive, c'est parce qu'ils n'ont rien voulu voir. Moi j'ai les yeux ouverts. Je sais qu'elle nous cueillera un à un, de la façon la plus violente qui soit. C'est pour ça que j'ai commencé à pratiquer.

ÈVE :

L'appartement sent le soufre. Dès que j'arrive, il entre en combustion.

Ils m'attendent dans le séjour déguisé en calendrier. Les questions sont habituelles, mais avec le tranchant de la peur. Je réponds par les évasions habituelles, elles aussi. Puis, je comprends. La mort de Savita a tout changé. Ses parents se sont mis à dire à haute voix ce qu'ils pensaient tout bas : c'est moi qui l'ai entraînée vers les bas-fonds. Si elle est morte, c'est à cause de moi, disent-ils.

Mon père me dit : Sais-tu quelque chose à propos de sa mort ?

J'aurais voulu dire que je ne suis pas responsable, mais je ne le peux pas. Parce que j'étais elle, parce qu'elle était moi, je le suis. Nous sommes mortes toutes les deux, au même instant. Ce qu'il reste de moi est l'inutile. Les mots se bloquent dans ma bouche. Le goût de ma salive m'écœure.

Mon père dit : Ils ont dit que tu étais un mauvais exemple pour elle.

Je réponds : Tu en connais, toi, des bons exemples, ici ?

Aussitôt, il se lève et me balance une baffe. Je m'y attendais, bien sûr. Il n'a aucune autre réplique à mes paroles. Il n'a aucune autre réponse à ma présence. J'ai accompagné le mouvement, et l'impact est moins fort.

Ma mère est réduite à l'état larvaire. Je me lève, fatiguée. Je n'ai pas envie d'eux. Je n'ai pas envie de les voir. Ils ne savent rien d'elle. Ils n'ont aucune imagination. Comment pourraient-ils savoir ce qu'elle a vécu ? Elle n'a aucune importance pour eux. Tout ce qui compte, c'est ce que les gens pensent, c'est ce que les gens disent, c'est les apparences, c'est la mascarade du quotidien, c'est leur piètre fierté. Leur fierté ? Il n'y a pas de quoi s'enorgueillir. Leur bouche est tachée par la boue des médisances.

Foutez-moi la paix, leur dis-je.

Je ne pense qu'à me réfugier dans le soleil tranquille de Savita.

Mais il profite de ma fatigue pour me donner un coup, un vrai coup de poing au visage. Je retombe assise dans le fauteuil, sonnée. Ma mère crie.

Il me saisit les cheveux et m'oblige à le regarder et à l'écouter. Je ferme mes yeux et mes oreilles.

Il hurle des obscénités. Il entre dans une belle rage rouge qui sera entendue par tous les voisins et les voisins des voisins. Elle étalera ses échos plus loin encore, comme les jupes d'une explosion nucléaire.

Je ne fais plus vraiment attention à ce qu'il dit. Il crie sur ma mère tout en continuant de me tenir par les cheveux. J'attends, patiente, qu'il s'arrête.

La seule chose que je me dis, c'est qu'il faudra que je pense à me couper les cheveux. Les couper court, mais court. Les tondre jusqu'à ce qu'on voie mon crâne. Je me ferai une tête rase. Une tête lionesque que personne n'osera regarder de facc, qu'on n'osera pas toucher parce que, toucher une lionne, c'est aller au-devant de sa morsure. Toucher une lionne, c'est sentir ses dents qui se plantent dans la chair, des dents pointues et broyeuses, des dents qui se teindront de sang. Et après, digérant au soleil, elle les léchera doucement pour les laver. L'haleine de la lionne est brumeuse et sanglante. C'est beau une lionne qui digère, riche de ses dorures.

Finalement, voyant mes yeux parfaitement absents et si nus, il enlève les doigts de mes cheveux, arrachant quelques mèches par la même occasion.

Je rentre enfin dans ma chambre. Je crache une salive aigre. Je me jette sur mon lit en ignorant le lancinement dans mon crâne. Tout ce que je peux subir n'est rien à côté de ce que Savita.

Elle a été dépossédée de son corps et de sa vie par l'homme souverain.

Il lui a interdit tout orgueil en l'entassant dans une poubelle. Il a décrété : tu n'es rien. Tu n'existes pas. Tu as existé pour rien. Tu n'as servi à rien. Poing final.

L'homme, dans son inutilité, règne. Que dit-elle ? Que fait-elle ? Crie-t-elle ? Accepte-t-elle l'inévitable ? Est-elle heureuse qu'on en finisse ? Pense-t-elle à moi, dans ses derniers instants ? Me demande-t-elle, pourquoi tu n'es pas là ?

Sur une table, quelque part, sous une lumière brute, son corps attend d'être décodé. Pour révéler quoi ? Des signes de mort ? Il n'est pas nécessaire de l'ouvrir pour savoir. Des restes, des traces, des liquides incriminants ? Et moi ? Trouveront-ils ma trace sur elle, la trace de mes mains, de mes lèvres, de ma joie ? Qu'est-ce que l'autopsiée dira d'elle-même ? Sois ton silence, Savita. Ils ne méritent rien de plus.

100

Dehors, il y a des crépitements d'électricité. Plus que la mort de Savita, la présence des policiers dénude les câbles de tension qui traversent la cité. J'ai l'impression que, maintenant qu'elle est partie, je suis seule à affronter la horde. Tous les regards se dirigent sur moi. C'est moi qui ai enfreint les lois. C'est moi qui ai dérangé les motifs, modifié les espaces, fracturé les portes closes. Je sème le désordre. Je dégage une odeur de suif. Je suis l'ange maléfique de la cité, son âme déchue.

J'en suis si convaincue que je me mets à somnoler, prise de léthargie.

Ma main a saisi un bout du drap et le tire sur mon visage comme un linceul. Mon corps est si plat qu'il fait à peine un remous dans le bref océan du lit. J'ai les yeux ouverts sous le linceul. J'essaie de voir le monde à travers ce grillage mou, ce maillage. Que ferais-je, si je devais me cacher du monde ? Comment vivrais-je en fantôme ? Ou bien l'invisibilité nous ôte-t-elle nos peurs ?

Je glisse dans le demi-sommeil de mon linceul, regardant un monde blanc. Bientôt, tout est étale. Mon souffle aussi, mon rythme de pendule détraquée, s'apaise.

CLÉLIO :

Il fallait s'y attendre. Le premier à être interrogé, c'est moi. Le premier à être suspecté, c'est moi. Personne n'a rien dit, bien sûr. Mais il y a beaucoup de façons de dire quelque chose en ne disant rien. Les vieux n'attendaient que ça. Ce ne sont pas des mauvais enfants, disent-ils, mais parmi eux, vous savez, il y a quelques fruits pourris. Il y en a qui ont fait de la prison, qui vont toujours chercher des ennuis. Vous savez, quand le cœur est noir, il n'y a rien à faire. *Ki pu fer, ena, zott finn ne kum sa.* Ils sont nés comme ça, avec leur pourriture au cœur.

J'ai pas de pourriture au cœur, merde ! La pourriture, c'est eux. Personne ne prononce mon nom, mais j'ai l'impression qu'il résonne dans tous les regards, dans l'air, dans la cloche de l'église qui sonne la messe du dimanche, dans le cri des pneus de voitures. D'ailleurs, j'ai un prénom qui cloche quand on le prononce. Et puis, les policiers, ils sont pas tous cons. Ils font leur boulot. Si l'un d'entre nous a fait de la prison, ça simplifie les choses. Tu faisais quoi hier soir ? Hier soir ? Rien. Rien ? Non, rien. Tu as bien dû faire quelque chose ? Non, il y a des moments où je ne fais rien. Où étais-tu ? Sur le toit de mon immeuble. Qui t'a vu ? Ben, les oiseaux qui sont passés au-dessus de ma tête, je ne sais pas si c'étaient des bengalis ou des serins du Cap ou des cardinaux, et puis les rats qui viennent prendre l'air, à la nuit tombée. Te fous pas de notre gueule !

S'ils cherchent des preuves, ils en trouveront dans leurs dossiers. Monsieur le juge, ce garçon est un récidiviste. La société a tout fait pour le recycler, mais il y a des gens qu'on ne peut pas racheter, Monsieur le juge, et le juge me regardera gravement et il dira, *are you beyond redemption ?*, comme s'il se posait la question à lui-même, mais moi je lui dirai, oui, je suis au-delà de la rédemption, parce que j'ai pas envie d'être racheté ni acheté, et j'ai pas commis les crimes qu'on m'impute, comme ils disent en langage juridique, j'ai même rien fait du tout, les plus gros crimes, c'est d'autres qui les commettent, mais la police, elle n'ose pas arrêter ces gens-là, ou si elle est obligée, c'est avec des gants de velours et ils disent excusez-moi, Monsieur, avant de les coffrer et on ne pose pas les mains sur ces gens-là, ils ont l'odeur fleurie de leurs milliards détournés et ce parfum d'inaccessible qui fait rêver les pauvres agents avec leur salaire de misère, faut les comprendre, il y a des choses qui vont au-delà de l'imagination des pauvres, mais bon, on doit les arrêter parce que c'est comme ça, il faut montrer au peuple qu'il y a une justice même s'ils sortiront le soir même et leur procès finira en eau de boudin parce qu'il faut fermer leur gueule aux activistes qui font toute une histoire de la corruption dans ce pays, et des caisses noires, et des fonds de pension fondus,

et donc, moi, je suis *beyond redemption*, et le meurtre, on me le colle sans me dire s'il vous plaît et sans preuves apparentes, je suis coupable d'être moi, je suis coupable d'être, et ils me bousculent, ct ils me tapent sur la nuque en

103

disant tu vas parler, ti maquereau, et s'il le faut ils me tabasseront sans en avoir l'air, et en plus ça deviendra une histoire communale, ça peut pas louper, même si Savita, elle se moquait de ces histoires de race, quand elle est morte elle devient un symbole racial, et moi aussi, des siècles à être ennemis, esclaves, coolies, c'est une lourde histoire, n'empêche, et à chaque occasion elle refait surface, des siècles que ça dure et c'est pas près de finir, croyez-moi, même si nous, les enfants de Troumaron, nous nous en fichons des religions, des races, des couleurs, des castes, de tout ce qui divise le reste des gens de ce foutu pays, nous les enfants de Troumaron, nous sommes d'une seule communauté, qui est universelle, celle des pauvres et des paumés

et là, croyez-moi, c'est la seule identité qui compte.

Je partirai d'ici menottes aux poignets. J'y couperai pas.

Ils ont emmené Clélio. Je savais qu'il ne fallait pas le laisser seul. Dès qu'on le laisse seul, Clélio, il va tout droit vers les ennuis. Je sais qu'il n'a pas tué Savita. Mais il est le Coupable. Ils essaieront de le faire avouer et même s'ils n'y arrivent pas, ça ne changera pas grand-chose. Clélio n'a qu'à ouvrir la bouche pour se condamner tout seul. C'est un innocent, dans tous les sens.

Entre-temps, elle, Ève, a une nouvelle obsession : elle veut voir le corps de Savita. Je ne sais pas ce qu'elle y gagnera, mais j'ai beau refuser de l'aider, elle n'en démord pas. Qu'elle ait recommencé à me parler, c'est déjà quelque chose. Tout est bon à prendre. L'espoir me revient. Je l'emmène au poste de police.

Les agents nous regardent d'abord avec indifférence, puis, en apprenant d'où nous venons, avec méfiance. Enfin, surtout moi. Elle, ils la regardent plutôt avec tendresse, elle a l'air si jeune, avec son tee-shirt large et ses cheveux tirés en arrière en queue-de-cheval, oui, elle a l'air bien jeune, elle a l'air d'avoir quinze ans. Et puis, il y a cette tache sombre sur sa pommette droite, n'est-ce pas la signature habituelle, n'est-ce pas l'écriture de la vie dans ces endroits écorchés ?

Les agents s'agglutinent autour d'elle comme des bourdons gras.

L'inspecteur nous reçoit, debout, dans son bureau. Il est massif, il a un air paternel, mais je me méfie. Il lui touche le visage, caresse la marque de son pouce, un gros pouce brun sur ce petit visage, j'ai envie de le frapper et je vois à la façon dont il me regarde qu'il le sait.

C'est ton petit ami qui t'a fait ça ? demande-t-il.

C'est mon père, dit-elle en le regardant droit dans les yeux.

Il enlève sa main. Elle l'évalue. Elle se demande ce qu'elle doit faire pour qu'il accepte de lui faire voir le corps. Ils se soupèsent tous les deux. Je n'ai rien à voir dans tout cela. Il y a un code qui passe dans leur silence.

Elle est à la morgue, dit-il.

C'est loin, la morgue ? demande-t-elle.

Pourquoi veux-tu la voir ?

Elle était mon amie.

On ne laisse que des proches voir les corps.

Je suis une proche.

On vous la rendra quand l'autopsie sera terminée. Il vaut mieux attendre.

Il retourne à ses paperasses, définitif.

Je l'entraîne hors du poste avant qu'elle ne tente autre chose. Je ne comprends pas cette facilité qu'elle a à se dédommager avec son corps. Comme s'il ne signifiait rien. Pour moi, c'est la chose la plus précieuse au monde.

Je l'emmène au Caudan parce que je sais qu'elle n'a pas envie de rentrer à Troumaron. Elle est désolée. On s'assied face à la mer et on attend. La tache sur son visage est devenue violette sous les lampadaires. Je la trouve belle.

La mer, du côté de l'hôtel de luxe, brille de feux voilés. De notre côté, elle a un air d'huile et une odeur d'aisselle.

Des gens passent non loin, s'asseyent à un café, prennent l'air, prennent une bière, goûtent la douceur du temps et ne savent rien. Ève m'a dit une fois que nous étions sur une autre planète. Je crois qu'elle a raison. Notre soleil et le leur ne sont pas les mêmes.

Elle ne dit rien. Elle ne voit rien. Elle n'est pas là. Comment l'atteindre ?

Nous marchons sur des parapets de verre, sur la transparence du vide. Il y a entre nous mille silences et la distance de l'infini.

Je lui allume un joint. Elle aspire fortement et ses yeux deviennent du miel chaud. Leur couleur se concentre sur ma langue comme le miel des fleurs voraces de Rodrigues. *To lizie kuma dimiel Rodrig*, lui dis-je dans ma pensée. L'ombre de la ganja court dans mon corps, fait scintiller mes veines. Mes mots sont simples et clairs :

Nous nous en sortirons, lui dis-je.

Toi peut-être. Pas moi. Je n'ai pas de vie. J'ai dépensé toute ma réserve.

Il y a des options. Jouer des apparences, de la persuasion, c'est ça qui nous aidera à sortir d'ici.

Elle sourit.

Tes mots, dit-elle, empruntés à d'autres, t'aideront à embobiner les gens. C'est sûr, tu t'en sortiras.

Cela m'énerve de l'entendre dire ça.

Si je les utilise, dis-je, ce sont les miens. Je les réquisitionne. Les mots n'appartiennent à personne.

Et à tous. Libre à toi de faire ce que tu veux. Je ne te suivrai pas. C'est trop tard.

Comment ça peut être trop tard, à dix-sept ans ?

Je me sens vieille, dit-elle.

Nous sommes pratiquement des enfants, assis sur notre parapet. Et elle, sa fleur de violence sur la joue, se sent vieille. Elle se lève et fait quelques pas devant moi. Elle semble hors de tout équilibre. Elle danse et elle tombe en même temps. Je tends les mains pour la rattraper.

C'est l'endroit qui nous a faits ainsi, ou le contraire ?

Je ne réponds pas. Dans ma tête, je lui fais une promesse : Ève, je te sortirai de tes décombres.

Fumant ensemble, nous sommes plus proches que nous l'ayons jamais été. Elle pose la tête sur mon épaule. Je suis rempli de l'odeur herbeuse du joint, mais surtout de son odeur à elle. Sa peau et sa chair. Je sens sa sueur. Je sens ses cheveux. Je sens quelque chose d'autre, une chose secrète, urgente, vivante, une chose enfouie, une chose si intensément femme que, même dans mon état amorti, je suis étourdi de désir. Je la serre contre moi. Comme je te veux ! lui dis-je sans oser le lui dire. Comme je te veux !

ÈVE :

D'autres types de graffiti ont remplacé les phrases de Sadiq et les plus vieilles rages. Sur notre palier, c'est une explosion de haine. Leur goût fécal reste dans ma bouche.

Mon père ne sort plus de sa fureur. D'un seul coup, il a le beau rôle. Il n'est plus le père qui bat sa fille, mais celui qui « corrige » sa fille. Ça fait toute la différence. Je dois me glisser hors de chez moi quand il y a moins de gens dehors. J'esquive les regards pour ne pas sentir leur brûlure sur ma peau.

Mon père a de longues conversations avec les autres hommes de l'immeuble. Quand il revient, il empeste le vin local. Ma mère rentre en elle-même et ressemble à une tortue. La perpétuité, c'est ça.

Au collège, je ne fais plus rien. Je n'ai plus rien à faire. Certains profs essaient de me parler, mais ils sont défaits par mes yeux morts. L'autre aussi tente de se rapprocher, il glisse des mots dans mes cahiers, il me dit de le rejoindre dans la salle de biologie. Ses messages deviennent urgents, suppliants. Je les ignore. Des vermisseaux de désir s'échappent de lui à son passage. Depuis que j'ai été autopsiée sur la table, je ne me vois plus que comme un cadavre sous son regard baveux.

En réalité, je suis morte.

En réalité, j'ai disparu sous le linceul.

Je ne sais pas pourquoi mon corps en mouvement continue de faire semblant, alors qu'il aurait mieux fait d'abandonner.

C'est comme le frémissement nerveux du temps, qui a aussi envie d'en finir. Des jours mous de tiédeur, des jours sucrés, des jours de pollen, des jours de pollution, des pluies comme des gouttes d'ombre noyant les âmes. Hivers pâles, plats comme le dos de la main. Étés explorant les corps de leurs doigts brûlants. Cyclones et sécheresses se succédant en accéléré. Tout cela en une seule année. L'année de mes dix-sept ans. Tout m'est arrivé : la vie et la mort.

J'ai vécu plusieurs vies. Et encore d'autres dont je ne me souviens pas. Toutes ont fini comme ceci. Face aux murs.

Je vois des filles dansantes et des femmes qui marchent le long d'une ligne choisie. Je vois des hommes pensifs et des vieillards heureux du soleil sur leurs cheveux blancs. Je vois des images à la télé, une joie criarde ou des souffrances moroses qui ne correspondent pas à ce que je suis, à ce que je vois. Pourquoi ici, à Troumaron, rien ne correspond à ce qui se passe là-bas ?

Je ne suis rien. Un accident de parcours. Une chose gaspillée. Singulière, unitaire, radiée.

La nuit me dévore. Sa gloutonnerie est sans fin. Bout par bout, elle ronge, elle grignote. Mais elle ne finit pas.

Sur la table d'autopsie, il se souvient de toi. De toi ou de ton ombre, qu'importe. Mais il ne sait plus si c'est toi ou l'autre, celle qui a regardé par la fente de la porte, ce soir-là.

Il pose les livres bien en ordre sur la table. Il n'aime pas le désordre. Il aligne les bords. Ce sont tes livres à toi. Tu les lui as laissés. Tu n'es plus revenue. Tu ne veux plus sentir les odeurs qui y sont attachées. Ni les images. Ni ton visage aplati entre les pages.

Sur la table de biologie, il te prolonge. Du souvenir, il fait ce qu'il veut. Un corps bleu, aux douces entrailles. Des lèvres violettes, comme gorgées de vieux sang. Des bras si maigres qu'ils semblent disparus. Et au bout, une petite main à la paume humide qui tombe, sans vie, au bord de la table.

Sur la table de sa vie, deux filles sont réunies. Il ne les différencie plus. Pareillement belles et pareillement mortes. Il les entremêle, main contre main, aisselle contre aisselle, il les regarde se fondre, si lentement, l'une dans l'autre. Parfois, il est debout, parfois assis, parfois allongé. Elles glissent d'un lieu à l'autre, s'intervertissent et se suspendent, acrobatiques, à sa pâleur.

Il est l'homme le plus heureux du monde. Agenouillé, naissant de sa calvitie, de ses jours perdus à ne savoir quand vivre, de ses vaines tentatives de communiquer un savoir qu'il n'a pas, redevenu homme dans le creux verni d'un corps plat comme la table, d'une ossature lisible sur la face foncée du bois. Les veines sont ses rivières. Le tremblement du corps pris d'assaut est l'avenue dans laquelle il s'engage triomphant, depuis ce premier jour où tu lui as apporté ta dérive et ton regard impitoyable. Tu apportes ce que tu offres : un bout de rien, un bout de tout.

Tête cognée sur le mur sous son rythme mou. A-t-il vu au fond de tes yeux une lueur guerrière ? Un éclat vengeur ? Il ne s'en souvient pas.

Tant d'inertie. Tant d'indifférence. Ce « Monsieur » dont tu le gratifies après l'acte, et qui crucifie chacun à son rôle. C'est tout ce qu'il sera pour toi : « Monsieur. » Un prof pris dans l'impossibilité de dire.

Il ne comprend pas pourquoi d'autres se battent pour ces petits êtres momifiés qui ne sortiront pas de leurs liens. D'autres disent : si l'un d'eux réussit, c'est notre victoire à tous. Mais lorsqu'il entre en classe et voit les visages figés dans leur masque de refus, dans leur devoir de confrontation, dans leur défiance de tout ce qu'il a à offrir, dans leur indifférence à d'autres possibilités, il se sent mourir. Il pose ses livres sur la table comme on ferme un cercueil, sachant que ce qu'ils contiennent dégage une odeur de tombe. Le pli est pris dès le début. Ils lisent en lui avec une telle clarté, une telle cruauté qu'ils savent tout de suite comment lui faire mal. Il larmoie intérieurement jusqu'au jour où un trait de soleil sur des cheveux écumeux lui révèle le trésor caché tout au fond de la classe, et son cœur a un raté.

À partir de ce moment, la couleur de sa vie change : il t'a vue. Il te découvre, petit animal embusqué derrière ta table, accroché pour ne pas tomber. Tu es entourée d'un vide inexpliqué. Quand tu t'en vas, c'est seule, c'est d'un pas glacé. Tu es si maigre qu'il a envie de te porter comme un bébé. Tu ne chahutes pas. Tu es dissociée.

112

Il ne vit plus que pour toi, il se livre à ta nuit. Depuis qu'il te connaît, sa vie n'est plus la même. Il est en sursis jusqu'à ce qu'il soit de nouveau avec toi. Mais à présent, tu te refuses.

Il n'est pas fait pour ce métier. Il n'est fait pour rien. Il passera sa vie à regretter d'être. Vieux avant l'heure, pauvre en dons.

Les temps normaux sont révolus.

Jours après jour, tout s'est démantelé.

Les temps normaux sont en fuite. Comment en est-il arrivé là ?

Il a tenu entre ses mains un corps de poupée. Il savait bien que cela ne le rendrait pas heureux. C'était sa vengeance sur la vie, contre la vie, que de le briser en deux.

ÈVE :

Père à peu près, il ne sait pas par quel bout me prendre. Il songe, il réfléchit, il s'interroge. Les images flottent et se brisent contre sa mémoire. Un lit défait, un corps défait, et trop de femme pour une si petite fille.

L'amour d'enfance est passif. Après, l'heure tourne. L'enfant devient sauvage. Que doit faire un père pour ramener sa fille à la raison ? Pour préserver son corps de sa folie ? Pour rétablir ses droits ? Quels droits a-t-il sur moi, sauf ceux de la violence ?

Mère en noyade, elle pétrit sa chair de désespoir et voudrait bien avoir un moyen simple de se tuer. Elle n'est plus qu'un petit tas de honte. À cause de moi, elle n'ose plus se montrer. Elle me connaît. Elle connaît l'étendue de mon défi. Jusqu'où j'irai, non seulement pour me détruire, mais pour les entraîner tous avec moi. Pauvre mère affublée d'une fille si obstinée dans sa rage, c'est ce que redoutent toutes les mères, n'est-ce pas ? La méfiance s'étale vers elle aussi, la mère qui n'a pas su tenir les rênes, dompter le sang sauvage, le surcroît d'orgueil et cette obstination mâle à n'en faire qu'à ma tête.

Les enfants ont des ailes de plomb et persistent à croire qu'ils peuvent voler, jusqu'à ce qu'on les retrouve, ordures parmi un tas d'ordures.

Les fenêtres sont énucléées. Les immeubles s'éteignent.

114

L'eau ne coule plus. Toute clarté amie est éteinte. Le quartier est noyé de noir. Personne ne sort. Les bandes de plus en plus nerveuses rassemblent des armes. Une fille restée morte sans vengeance. Une fille s'obstinant à fouiller les décombres. Du sang est exigé. Seuls les cris parviendront à déchirer le vide.

Les parents de Savita sont seuls face à leur deuil. Je pense à eux, ce soir. Je voudrais leur dire quelque chose d'elle, mais mon seul visage leur ferait horreur. Ils ne veulent pas me savoir. Ils veulent être seuls avec leur morte. Mais l'acte final a rendu leur fille innommable. Derrière les expressions de l'horreur, la question muette qui se dessine dans les yeux des gens est celle-ci : qu'a-t-elle fait pour provoquer cela ?

Elle participe activement à son propre meurtre. Encore un peu, elle sera complice. Encore un peu, elle sera sa propre meurtrière. Ainsi va l'esprit des gens.

Les parents pensent, c'était une fille normale, sans histoires. C'est précieux, pour des parents, une fille sans histoire. Ils ne connaissent pas le verso de son visage, sur lequel était inscrite la plus belle histoire de toutes. Ils ne devinent rien du sourire qui inspirait sa bouche. Ils croyaient à son avenir et ne reconnaissaient pas son présent. Son présent, c'était moi.

Ils regardent la petite sœur sanglotante. Désolés, chavirés, leurs pleurs reprennent. Cette fois, ce n'est plus pour la grande mais pour la petite, comme s'ils voyaient déjà, sur l'écran de leur terreur, son petit corps fracassé.

Je ne suis plus sujette à l'amour. Je voudrais un cœur plane, aussi plane que mon corps, qui saurait disparaître lorsque vivre serait trop lourd.

Je ne suis pas non plus sujette au vertige. J'ai même besoin sans cesse de regarder le vide. Du toit où Clélio se réfugie d'habitude, je regarde vers le bas. En bas, il y a quelque chose qui m'attend. Ma propre forme. Mes bras étoilés d'ailes. Mes jambes largement écartées. Et mon visage d'enfant au repos, crémeux de tristesse et de soulagement.

La seule façon de connaître l'envol : le pas hors.

Marcher sur un tapis d'air, la complicité du vent dans les oreilles et le soleil rameur traversant le très bleu du ciel. Le cri qui filtre entre les lèvres n'est pas un cri de peur mais de vie.

Le pas hors, qui décide. L'espace apprivoisé. Juste le temps de saisir la brièveté de l'éternité.

Le pas hors ; de tout, de tous, de soi.

Ce qui attend au bas n'est qu'un banal accident de parcours. Le fait divers qui ne nous regarde plus, puisqu'il ne s'agit que de fragments de soi, parfaitement illisibles. Tous les débuts qui ne se sont pas terminés sont rassemblés ici, dans un poing fermé.

Je ne suis pas sujette au regret. C'est perdre le temps précieux de vivre. Mais la seule vraie question c'est : suis-je sujette à la vie ?

CLÉLIO :

Il fait noir. Je m'enlise. Cet endroit est un trou. Ils ne me
maltraitent pas, mais je sais que je ne m'en sortirai pas. Ma
vie s'arrête ici. Je ne comprends pas ce qui m'arrive. Je
connais bien la prison, mais c'est la première fois que j'ai
l'impression que je suis foutu. On ne me regarde pas
comme avant. Les yeux des policiers et des gardiens ne
rencontrent pas les miens. Dans les journaux, il y a déjà
des titres : le meurtrier présumé de Savita arrêté. Je peux
voir la première page quand le gardien lit le journal. Je
vois une photo de Savita, jolie comme toujours, souriante,
coquine, je vous dis pas, comme si elle se moquait de nous
tous. Et une photo de moi ; avec une tête de récidiviste
bien sûr, j'en ai pas d'autre de rechange.
　　Je fais quand même des plans, au cas où je m'en sorti-
rais. Je trouverai du boulot, ça c'est sûr. Fini de faire le fou.
Fini de faire semblant de vouloir casser la gueule à tout le
monde. Fini de me faire remarquer à tout prix. Je me fais
tout petit et j'évite les ennuis. Je quitte la bande. Je cesse
de me ronger les ongles. Je cesse de me raser le crâne. Je
fais enlever mes tatouages à l'acide. Je cesse de découper
Carlo dans ma chair.
　　Il a eu raison, Carlo, de partir. C'est ça qu'il faut faire,
pour s'en sortir. Couper les liens avec le passé, sinon il
vous tire en arrière et il ne vous laisse pas partir. Il a eu

raison, Carlo, mon frère. Il n'est pas venu me chercher, mais c'est pour moi qu'il est parti. Pour me montrer que c'est possible. Même s'il a une Renault, je lui pardonne. Même s'il ment à Mam quand il dit qu'il a une maison avec dix chambres, je lui pardonne. Il pouvait pas faire autrement. Partir, oublier Troumaron, oublier qu'un jour on a vécu ici, qu'un jour on a failli mourir ici. Savita aussi aurait dû partir. Elle n'a pas eu le temps. Mais c'est pas nous qui l'avons tuée.

Et mon père, il faut comprendre aussi pourquoi il est comme ça. La maison qu'on avait avant le cyclone, lui et ma mère l'avaient achetée. Ils avaient fini de la payer et, même si elle ne ressemblait à rien, même si elle était branlante comme leur propre cerveau, c'était leur maison à eux. Alors, quand le cyclone l'a détruite et qu'ils ont tout perdu, plus possible de recommencer. Ma mère, elle, a pris sur elle. Elles sont comme ça, les mères. Mais lui, il a pas pu. Faut le comprendre aussi.

On dirait que je deviens un saint, en prison. Je commence à comprendre tout le monde. Je cesse de penser à moi. Je pense à Sad, pauvre petit couillon amoureux d'Ève. Mais non, c'est pas un couillon. Si on n'aime pas à dix-sept ans, quand est-ce qu'on va pouvoir aimer ? C'est ça mon problème, je crois. J'ai jamais aimé. J'ai rencontré personne. Peut-être que j'ai pas essayé, que j'étais trop occupé à être en colère.

Mais si je deviens un saint, faudra peut-être que je me fasse prêtre en sortant d'ici. Et si je me fais prêtre, je ne pourrai plus tomber amoureux. Alors, vaut mieux que je ne change pas trop. D'ailleurs, j'ai qu'à voir la gueule du gar-

118

dien pour savoir que j'ai pas trop changé : j'ai toujours autant envie de le massacrer.

Il fait noir. Je dois essayer de dormir. Mes pensées sont comme une invasion d'abeilles tueuses ou de cafards dans un film d'horreur. Dès que je ferme les yeux, elles sortent de tous les trous et convergent vers moi. Elles se jettent sur moi et se mettent à me grignoter de partout. Je m'agite, je crie, je balance les bras jusqu'à énerver tous les autres détenus, mais je n'arrive pas à les chasser.

Si je sors, je baise la première femme que je vois. Enfin, si elle est pas trop moche. Et pas si c'est ma mère, évidemment, vous me prenez pour qui ?

ÈVE :

L'inspecteur a fini par accepter de m'emmener à la
morgue. Je ne sais pas comment il a fait, mais il a réussi à
me faire entrer. Il doit avoir des contacts. Et puis, il s'est
pris de sympathie pour moi. Peu m'importe comment il a
fait. L'important, c'est de voir Savita.
   À l'intérieur de la morgue, la lumière et l'odeur ont la
même teinte verdâtre. Je croyais que les films m'auraient
suffisamment préparée. Mais les films n'ont rien à voir
avec la réalité. Ici, c'est autre chose. La crasse dans les
recoins. Le plafond fleuri de moisissures. Les relents chi-
miques des murs.
   Le corps tout entier s'amollit. Le lieu est lourd de leur
présence. Tous ceux qui sont passés ici ont laissé leur
trace. Sur les murs, sur le sol, sur le plafond, dans l'air.
Comme des bouches invisibles collées à leur silence. Personne ne part définitivement.
   L'inspecteur me retient par le bras et me dit, tu n'es pas
obligée.
   Non, je n'ai jamais été obligée.
   Je me dégage. Je n'ai pas l'intention de reculer. Après ce
qu'elle a subi, je peux tout subir. Et puis, dans ma tête, je
l'ai vue des milliers de fois comme cela. Je ne cesse pas de
la voir, dans son enveloppe de mort. Et maintenant, je la
vois vraiment.

Immobilité et pâleur. Son visage vitrifié, rigide, inflexible. Avec encore les marques de doigts sur son cou. Je la connais et je ne la reconnais pas. C'est sa jeunesse, je crois. Quand la mort arrive si jeune, elle rend méconnaissable. Et puis il y a cet aspect bleuté, presque violet, de la peau. Ça me chavire, tant d'étrangeté.

Mais ensuite, je reconnais sa bouche. Je m'accroche à cela. La bouche au pourtour foncé, c'est sa bouche, c'est la bouche de Savita, je suis contente de la revivre si bien, enfin, oui, je n'ai pas commencé à oublier ses traits comme je l'ai cru un instant, je ne l'ai pas trahie, j'ai toujours le souvenir de sa bouche en moi comme d'une chose si précieuse que, longtemps après, tous mes sens continueront à me la rendre.

Je lui explique que j'étais près du ruisseau, et c'est pour cela que je n'ai rien entendu. Je lui dis que moi, c'est la vie qui déforme mes traits et me rend méconnaissable.

Je passe la main sur sa joue. Je me penche, mais l'inspecteur me retient. Non, dit-il.

Il m'emmène dans un petit bar-restaurant où les mouches sont plus nombreuses que les clients. J'attends qu'il me dise quelque chose, qu'il me demande quelque chose en retour pour le service qu'il m'a rendu. Il ne demande rien. Mais il me pose des questions. Par la fenêtre crasseuse, je vois le monde qui passe. Oui, il y a un monde, là-bas, dehors, qui ne connaît pas Savita et dont la vie ne s'est pas arrêtée en même temps qu'elle. Je lui raconte, sans trop savoir pourquoi. À quel âge j'ai commencé, où je suis allée. Je lui parle de ces endroits qu'il connaît trop bien. Ses questions m'entraînent de plus en plus loin. Mon comportement est proche de la folie, je le vois bien. C'est ce qu'il pense : cette fille est folle.

Il me regarde comme s'il n'en revenait pas :

Et tu es encore vivante ? dit-il.

Ça t'a menée à quoi ? demande-t-il encore. Ses grosses mains sur la table sont énervées et triturent une serviette de papier jusqu'à ce qu'il n'en reste plus que des miettes. Je n'aimerais pas être un criminel arrêté par lui. Nulle chair ne résisterait à ces mains-là.

Je finis par répondre à sa question :

À me faufiler entre les mailles du filet. Pour...

Pour quoi ?

Pour continuer.

La prochaine question devrait être, continuer à quoi, mais il ne la pose pas. Ses yeux sont fatigués et j'ai la tête trop vide. Je pensais m'acheter une vie. Mais je ne sais pas laquelle.

Il me demande si j'ai des ennuis de santé. Je sais de quoi il veut parler, mais je fais semblant de ne pas comprendre. Je lui montre mon bleu sur la joue, qui a viré au jaune : ce genre d'ennuis, oui, tous les jours, dis-je.

Il ne me regarde plus, je crois qu'il tente d'imaginer ce qu'on m'a fait, ce qu'on me fait faire, ce qu'on me fera encore faire, dans le miroir au fond du bar je nous vois et je sais que j'ai l'air jeune, trop jeune, un bout de ficelle, une petite chose brûlée, et qu'il voudrait pouvoir arrêter ma dérive, mais il ne sait rien du tout.

D'un seul coup, il s'énerve :

Et si je te fous en prison pendant quelque temps, tu seras obligée d'arrêter, ça devrait te guérir, non ?

Je me lève pour partir. La conversation est terminée. Il ne reste plus rien à dire.

C'est difficile de continuer à croire, murmure-t-il. Mais tu dois te défendre. Je veux que tu vives.

Il me ramène à Troumaron. En chemin, je ne dis rien. Mais je me souviens d'une chose qu'il a dite : Savita n'a pas été violée. Je suppose qu'il m'a confié cela pour me rassurer. Mais alors, pourquoi l'a-t-on tuée ? Pas de colère, pas de violence sexuelle. Par plaisir ? Pour la faire taire ?

On arrive devant les immeubles. Le ciel est bas. Ici, quelque chose est toujours aux aguets. Un esprit, vibrant, vivant et néfaste.

Il vient m'ouvrir la porte de la jeep, ce qui est très inhabituel. Avant que je ne descende, il glisse quelque chose dans mon cartable.

Tu ne t'en sers que pour te protéger, tu entends ? me dit-il doucement.

Je hoche la tête. Je ne sais pas pourquoi il fait ça. Je ne lui ai rien donné.

Il me tient par les épaules quand je descends et me secoue un peu.

Be good, me dit-il.

Je hausse les épaules. Il est trop tard pour être sage.

Ce n'est que quand il est reparti que je me rends compte que nous étions juste au milieu des immeubles. Toutes les fenêtres sont tournées vers nous. Tout le monde m'a vue rentrer à Troumaron dans une voiture de police, tout le monde a vu l'inspecteur me parler doucement, intimement. J'ai pactisé avec l'ennemi. Comme toujours, je fais ce qu'il ne faut pas faire. J'entends la pensée collective qui jaillit des fenêtres furieuses : cette fois, elle a été trop loin.

Le sol commence à se dérober sous mes pieds et s'écroule pour de bon au moment où j'entre dans l'appartement.

Mais, après tout, il n'y a jamais eu de sol sous mes pieds.

Un effleurement. Y a-t-il eu un effleurement ? Peut-être. Peut-être pas. La scène, dans les esprits, est rejouée de mille façons :

en venant t'ouvrir la porte de la jeep, il t'a soulevée comme une paille, comme une tige, ses grosses mains faisaient le tour de ta taille, il t'a déposée par terre comme une chose cassable

en venant t'ouvrir la porte, il a caché ton corps à moitié nu sous sa veste de policier, tu avais des bleus aux bras

en venant t'ouvrir la porte, il s'est penché vers toi et il a écouté les secrets qui se déroulaient comme une brume pâle de ta bouche

en venant t'ouvrir la porte, il a eu un petit rire vengeur comme pour dire que nous n'avions qu'à bien nous tenir, et le même petit rire s'est échappé de toi.

De fenêtre en fenêtre, une colère volette comme un oiseau fou et va heurter les panneaux de vitre jusqu'à les briser.

L'homme est ton destin et ta mort.

En venant t'ouvrir la porte, il a pris d'entre tes mains le destin de Troumaron.

Tout autour, les portes claquent avec la violence d'un rire mutilé.

C'est l'inspecteur que nous avons rencontré ensemble. Elle est retournée le voir. Elle est revenue avec lui. Ève, Ève, ça ne cessera jamais, ton jeu ? Ainsi, tu as réussi à voir Savita ? Et quelle différence ça fait, d'avoir vu son corps ? Elle n'y était pas, dedans, non ? Ce que tu as vu, c'était autre chose : un masque qui était peut-être le tien.

Je tourne en rond dans ma cage. Je projette des fulgurances noires sur les murs.

Tu voulais peut-être te faire pardonner parce qu'elle t'attendait après les cours et te raccompagnait ? Elle croyait te protéger, mais tu l'as exposée à un plus grand risque. Elle n'avait rien à voir avec tes histoires.

Je suis leur parcours dans ma tête. Je les vois rentrant, toutes les deux, après que. Après qu'Ève et l'autre type. Il fait noir. Qui les suit ? Qui attend qu'elles se séparent puis suit Savita, et pas Ève ? Pourquoi Savita ? Pourquoi pas Ève ? Est-ce un pur hasard ? Qu'est-ce qu'elles ont de différent ? Qu'est-ce qu'elles ont de semblable ?

L'heure tourne. Je ne peux pas dormir. Je veux comprendre.

Et puis, je crois que je sais. Comme Ève, je sais.

La bande m'attend. Nos virées, la nuit, sur les motos et les mobylettes, me manquent. La nuit nous ouvre ses franges et on boit le vent âcre de la cité et on sait qu'on a quelque chose à dire de l'énergie de nos corps chauds. C'est l'instant primaire. La minute qui explose et donne la conviction de vivre. Pour une minute, pour l'instant ; vivre comme une note tirée d'une guitare, discordante, mais perçue de loin. Ne pas disparaître. Ne pas renoncer à être.

Mais je ne les rejoins pas, parce que je sais de quoi ils parlent en ce moment. Je suis à court d'idées. J'ai vu leur colère, quand elle est rentrée avec ce flic. Comment peut-elle être aussi conne ? Revenir ici dans une voiture de police. Elle n'y a même pas pensé. Elle ne pense qu'à ce qui la préoccupe. Et les autres, ici, ne la préoccupent pas. Je la connais trop bien, cette fille que j'ai inventée.

Elle veut posséder son temps, ses actes, ses décisions, son corps. Elle refuse d'être dérisoire. Mais rien de tout cela n'est à elle. Et, dérisoires, nous le sommes tous.

Quelque part dans l'usine désaffectée, quelque chose se trame. Une lumière rouge baigne les immeubles, balaie le ciel, strie les façades. Sans cesse, comme des zombies dans un film d'horreur, il sort quelque chose d'une entraille, d'une cave, d'un trou d'égout, d'un soupirail. Ce sont les monstres que nous avons formés, une bouteille cassée à la main, prêts à dévorer, prêts à éventrer. La vie, d'un seul coup, a pris cette face ennemie.

Mais quand l'ennemi se dérobe, nous nous retournons les uns contre les autres, avides, hallucinés.

Ils pensent à Clélio en prison. Ils pensent à Savita morte. Ils pensent à Ève avec le flic. L'équation est trop flagrante. Elle doit subir.

Mon Ève, qui se croit née avec de l'acier au cœur, ne

sait pas que c'est le jaune et la chaleur de l'or qui vivent en elle, qu'elle ne cesse de fondre et de fuir, et que de cette fille en fusion ne restera bientôt plus qu'une flaque sans forme et sans visage.

Dans l'usine désaffectée, ils se réunissent pour décider d'un plan d'action. Il faut barricader Troumaron, disent les uns. Non, il faut s'attaquer à ceux qui menacent Troumaron, disent les autres. Mettons le feu au poste de police. Fracassons quelques vitrines de magasins. Renversons des voitures. Montrons-leur à qui ils ont affaire. Ils vont pas faire de Clélio un bouc émissaire. On va les obliger à le relâcher, sinon ils vont le tuer en prison, c'est plus facile que d'attendre le procès. Ça s'est déjà vu. Ils vont nous refaire le même coup. Après ils vont dire qu'on est tous pareils, on est tous des tueurs, on mérite rien de plus qu'un mur autour du quartier, un mur sans issue. Ils feront de Troumaron notre prison, notre camp.

Les joints et l'alcool aidant, tous sont prêts à se battre pour ne pas être emprisonnés. À la lueur des lampes à pétrole, inconscients du danger, ils commencent à fabriquer des cocktails Molotov. Cigarette aux lèvres, ils détrempent de pétrole des bouts de chiffon et les enfoncent dans des goulots de bouteilles. L'énergie de la violence les inonde.

Mais avant, disent-ils, mais avant, il faut la trouver elle. C'est elle qui a tout commencé.

Ils ont maintenant un but précis à leur rage.

Au feutre indélébile, sur les murs de ma chambre, j'écris à toute vitesse, comme un malade, comme un dément, pris d'une envie de tout raconter avant qu'on ne m'oublie.

C'est une histoire fragmentaire et boiteuse, faite d'amertume et de colère, mais c'est la seule que je connaisse. La vie de gens comme moi, si simples qu'ils se brisent avant même que de s'être construits, si incertains qu'ils s'effacent avant d'avoir touché aux choses. Leurs espoirs se dispersent au matin comme la poussière à leurs pieds. Leur mort n'aspire pas à la sève des étoiles et n'évoquera jamais que l'espace nu d'une tombe. C'est pour cela que les barrières commencent dès leur regard.

Quiconque entrera dans ma chambre sera confronté à une autre énigme. Mais, au moins, j'ai dit ce que j'avais à dire. Ève, il faut fuir. Je dois t'aider à fuir.

ÈVE :

La chambre ressemble à un lieu de suicide par la fumée. Depuis que je m'y suis enfermée, j'ai fumé tout ce qui m'est tombé sous la main. Mais la douleur est toujours là. Et je suis toujours là.

Une fois de plus, mes cheveux ont pratiquement été arrachés de ma tête. Mais cette fois, il s'en est servi pour balancer mon corps contre les murs. Je ne sais plus où j'ai mal. Je ne sais plus où et contre quoi j'ai été heurtée. Partout.

J'écrase une millième cigarette sur le linoléum constellé de trous et je me déshabille. Je dois presque décoller mes vêtements de ma peau. Je me regarde dans le miroir. Je suis étonnée de mon aspect : même avec toutes ces douleurs, je ne m'étais pas rendu compte des dégâts. Je retombe assise au bord du lit, face au miroir. Je ne sais pas à quoi je ressemble. À rien, rien du tout. Y a-t-il encore quelque chose à reconnaître ?

Ma surface est bariolée : des jaunes, des bleus, des violets, des noirs, des rouges. Si je n'avais pas si mal, j'aurais ri. Je ressemble à Arlequin dans son plus simple appareil. Je ne savais pas qu'on pouvait s'orner d'autant de coloris différents. Mais quand j'essaie de sourire, ça me fait mal. Une petite fissure s'ouvre au coin de ma bouche. Puis à l'intérieur. Et ensuite, d'un seul coup, toute une myriade de fissures s'ouvre en moi. Je me craquelle.

Je prends une paire de ciseaux dans un tiroir.

Ma mère me trouve ainsi, recroquevillée sur moi-même, murée de solitude et tenant les ciseaux dans ma main droite.

Pour une fois, elle est calme. Elle s'agenouille devant moi et essaie de desserrer mes doigts autour des ciseaux, mais elle n'y arrive pas. Mes mains sont fermes et les siennes tremblent trop.

Laisse-moi, lui dis-je.

Je ne te laisserai pas faire ça, dit-elle.

Elle croit que je vais essayer de me tuer avec ces ciseaux débiles.

Je ne vais pas me charcuter, lui dis-je. Je voulais juste me couper les cheveux.

Je les ai vus dans le miroir : ils s'échappent de mon crâne comme un feu d'artifice. Comme ces personnages de bande dessinée lorsqu'une bombe leur a explosé au visage.

Elle s'assied sur le lit à côté de moi. Elle passe la main dans mes cheveux. Je suppose qu'elle essaie de compter combien de fois ils ont offert une prise facile à la main. Comme s'ils étaient la partie la plus forte de mon corps, la partie par où mon énergie pouvait être saisie et aspirée.

Parce que c'est la partie la plus visible de ma féminité, c'est aussi par là que l'on commence, c'est par là que l'on blesse.

Je crois l'entendre marmonner : Je t'ai abandonnée.

Je pense que je me suis trompée. Mais elle le redit plus clairement : Je t'ai abandonnée. Aucune mère ne devrait faire ça à ses enfants. C'était par lâcheté et par démission.

Elle prend une veste de pyjama de l'armoire et m'aide à l'enfiler. Puis elle me dit, donne, je vais le faire.

Elle prend les ciseaux et commence à couper mes cheveux. C'est dur, c'est difficile, les cheveux crissent, les ciseaux grincent. Ils tombent, mèche après mèche. C'est un son qui me convient, qui dessèche les larmes qui auraient pu couler. Ce contact me semble étrange, cette proximité de ma mère, après tant d'années. J'essaie de me souvenir quand nous avons été aussi proches. Mais c'est trop loin. La sensation de sa main sur mon crâne est agréable. Il y a quelque chose de spécial dans les mains maternelles, je crois. Mais c'est trop tard pour moi. Je ne m'y abandonne pas. Je ne veux pas être consolée.

Quand elle a fini de couper les plus grosses mèches, elle va chercher la tondeuse de son mari et me tond les cheveux ras.

Je me regarde dans le miroir. Cette fois, je réussis à sourire. J'ai vraiment une drôle de tête. Je suis métamorphosée. Je crois que je ressemble à ce que je voulais être : une lionne. Une lionne famélique d'un zoo paumé plutôt qu'une reine des savanes, mais ça ne fait rien. Je prends.

Ma mère n'arrive pas à me regarder.

Lorsqu'elle part, la lionne enfile, grimaçante, un pantalon. Elle prend son cartable et sort sans bruit, comme elle sait le faire, sans que personne la remarque.

Dehors, même si je claudique, on ne me remarque pas davantage. Je suis devenue invisible, à peine humaine, l'incarnation d'une volonté qui, seule, parvient à me maintenir debout et à me mouvoir.

Il t'attend. Il sait que tu viendras. Il le sait avec la lassitude du prochain souffle. Les choses sont allées trop loin. Il ne perçoit plus le sens de ses actes. Il sait que tu sauras, à un moment ou à un autre ; l'étincelle dans ton esprit, dans ta mémoire.

Il est assis devant la télé qui s'agite en silence et le baigne de sa lumière blanche. Tu es déjà venue chercher des livres chez lui. Tu sais où il habite. Tu ouvriras la porte et tu respireras l'odeur de la mort-aux-rats. Tu croiras peut-être qu'il aura opté pour cette vieille méthode de suicide, si pénible, si douloureuse, et que tu verras son corps vert tordu de douleur, le visage figé dans une grimace destinée à la vie. Mais rassure-toi, il ne t'offrira pas une telle image de lui.

Il te dira, assieds-toi. Tu regarderas le tissu fleuri, flétri des fauteuils, et tu resteras debout.

Il ira vers toi et te serrera dans ses bras. Ta tête ne dépassera pas sa poitrine. Malgré lui, il éprouvera des remous au bas-ventre et aura envie de te serrer plus fort en se souvenant de toi ; déjà un souvenir, déjà du passé, déjà trop tard.

Surtout, il pensera à cette fois-là, à ce soir-là, quand les choses ont trébuché et que le temps s'est inversé. Alors qu'il avait le visage au fond de toi, tu as commencé à saigner. Il a perçu ce glissement encore chaud du lieu profond d'où il venait, cette offrande fluviale à la texture étrange, dense et liquide à la fois, au goût de cuivre, qui a rougi ses lèvres. Il

133

s'est écarté. Il a vu avec émotion le filet qui s'écoulait sans hâte, non comme d'une blessure, mais comme d'un stigmate qui se serait d'un seul coup ouvert. Contre toute attente, ce sang de femme, cette coulure du volcan enfoui, lui a paru comme quelque chose de sacré.

Lorsqu'il s'est redressé, tu le regardais. Tu as mis la main sur sa bouche. Il avait la bouche rouge. Rouge de toi, as-tu pensé. Te surplombant, peut-être ressemblait-il à un vampire. Peut-être ressemblait-il au membre d'une secte diabolique, buveuse de sang. Peut-être ressemblait-il à un être très primitif qui buvait et le lait, et le sang de ses mères. Tu as seulement pensé à un enfant aux lèvres rougies par du jus de goyave.

Malgré la confusion où il était plongé, il a perçu le sourire qui très vite a franchi tes yeux. Il s'est dit, c'est la première fois que tu esquisses ne serait-ce que l'ébauche d'un sourire. La première fois que quelque chose passe entre vous. Quelque chose d'autre que ce qui passe d'habitude de corps en corps.

Toutes sortes de possibilités qu'il n'avait jusqu'ici jamais entrevues, un avenir, un soleil que tu aurais entrebâillé dans sa vie, le lever d'un rideau d'obscurité qu'il croyait éternel, lui sont apparues, bêtement, rien que de ce reflet de l'ombre d'un sourire.

Et puis, juste à ce moment-là, il y a eu un mouvement près de la porte. Il s'est retourné et il a vu un obscurcissement de la lumière dans l'interstice de la porte mal fermée. (Comment se fait-il qu'il n'ait pas vérifié ?) Il s'est vu alors avec le regard d'un autre : la bouche rougie par le sang intime d'une femme. Le revirement a été immédiat. La honte, d'un seul coup, l'a pris.

La honte de lui-même, d'en être arrivé là. La honte du ridicule, si l'histoire se répandait. La honte de l'humiliation, si on le renvoyait. Assassiné par une simple anecdote. Le peu qu'il avait construit de sa vie était sur le point de s'écrouler.

Il a attendu que tu partes. Il a regardé par la fenêtre et il vous a vues vous éloigner, toutes les deux. Il vous a suivies. Puis il a suivi Savita. Il l'a tuée sans haine et presque sans violence. À un moment, il a eu l'impression qu'elle était consentante. Mais peut-être était-elle tout simplement trop fragile.

La fragilité d'un corps de femme, son absence de lutte. Au premier coup, déjà, elles abandonnent. Ce qu'il reste est une chose sans volonté, peut-être même pas une chose. Une annihilation. Une disparition. Mais elle était morte bien avant, cette jeune fille qui était ton amie, bien avant qu'il la mette dans la poubelle en pensant que c'est ainsi qu'ils feraient, eux, ceux qui habitent cette cité, s'ils devaient tuer. (Mépris inconscient mais définitif.) Elle est morte au moment où elle a vu une fleur rouge éclore sur sa bouche. Elle est morte lorsqu'elle a vu ses yeux tristes et qu'elle a su qu'il ne la tuait pas par haine.

Non, pas par haine. Mais l'indifférence, sans doute, est bien pire. Il ne l'a même pas regrettée.

Et maintenant, il t'attend. Il sait que tu viendras. Il ne veut te tenir dans ses bras que comme un cadeau de dernière heure. Il respirera l'odeur de vanille de ta chair et touchera le tee-shirt léger que tu portes et tremblera en pensant à tout ce qui se trouve dessous. Il saura alors que ce seront ses dernières sensations d'homme avant de mourir à son tour.

CLÉLIO :

L'avocate qu'ils ont nommée d'office est si jeune que j'ai cru à une plaisanterie. J'ai rien dit, mais elle a vu à mon visage que je pensais que ça ne servait à rien de nommer un avocat si on allait prendre un bébé au biberon avec sa bavette flambant neuve, qui ne se salit même pas en mangeant ou en défendant ses clients.

Bon, comme elle est mignonne, avec sa frange douce au-dessus des yeux, j'ai pas voulu l'offenser. Après tout, ce sera sûrement elle, la première personne que je verrai en sortant. Ou alors, me susurre une voix mauvaise qui ressemble à la mienne mais en moins con, elle sera la dernière personne que je verrai avant d'être enfermé pour de bon. Peut-être même qu'on me condamnera à mort ? Je ne me souviens plus si on tue encore les gens, ici. Je ne pense pas qu'il y a eu des exécutions depuis que je suis né, mais qu'est-ce que j'en sais ? Est-ce que la peine de mort est abolie ? Hé, est-ce que la peine de mort est abolie à Maurice ?

Elle me fait un sourire rassurant et faux. Elle marmonne quelque chose à propos d'une peine incompressible de quarante-six ans, mais ils seront indulgents, surtout si vous êtes un *juvenile*, dit-elle en employant le mot anglais comme pour masquer un tremblement dans sa voix. Puis elle me regarde pour voir si j'ai compris. Oui, j'ai compris, chère mademoiselle. Je ne suis plus un jeune, je suis un *juvenile*, comme dans délinquant juvénile.

Cela dit, dès qu'elle commence à m'expliquer les choses, je vois qu'elle sait de quoi elle parle. Elle est sérieuse, concentrée, impliquée. Du coup, je me mets à l'écouter avec plus d'intérêt. Elle fait la grimace quand je lui dis que mes seuls témoins sont des oiseaux et des rats, mais quand je lui dis que j'étais en train de me graver le nom de Carlo sur le cul ce soir-là, elle ne tique pas mais dit, ça pourrait peut-être aider... Si on veut plaider l'insanité, par exemple. Je ne suis pas fou, lui dis-je. Elle me rassure : Non, je ne pense pas que vous êtes fou, mais seulement un peu perturbé psychologiquement. Il y a de quoi.

Pourquoi, il y a de quoi ?

Elle ne répond pas tout de suite. Son petit visage se resserre, semble prendre la couleur grisâtre des murs de la prison. Ce silence est comme un secret qu'elle partage avec moi. Je ne le comprends pas, mais il me bouleverse. Je suis en train de réagir au quart de tour, malgré ma situation précaire.

Je sais d'où tu viens, dit-elle. C'est de là que je viens moi aussi.

Le choc est grand. Je n'arrive pas à l'imaginer comme une fille de Troumaron ou d'un endroit ressemblant. Je cherche sur sa peau la marque qui désigne les losers que nous sommes, la preuve que ses espoirs ont déjà commencé à sentir le pourri, mais je ne vois rien de tout cela en elle. Je ne vois qu'une fille bien, qui fait quelque chose de sa vie. Mais bon, tout arrive. Ça ne veut pas dire que je lui fais confiance pour autant. Elle a peut-être tout inventé pour me faire parler plus facilement. Et puis, si elle veut plaider la folie, c'est foutu. Je ne suis pas un acteur. Je ne pourrai pas faire semblant d'être fou.

Dès qu'elle est partie, la lumière s'éteint. L'air qu'elle avait rendu un peu plus respirable se referme autour de moi. Elle ne pourra rien faire, je le sais. Je ne crois plus en rien. Les journaux ont déjà commencé mon procès. Le gardien me lit des bouts d'articles avec beaucoup de plaisir dans un cliquetis de fausses dents. Je m'entends décrire comme un « dangereux malfrat qui n'en est pas à son premier délit ». Les sources sûres abondent pour témoigner dans ce sens. L'un des titres est : « Du menu larcin au meurtre, n'y a-t-il qu'un pas ? » Ils ont interviewé ma mère. Elle a commencé par *ki mo pu dir u…* Quand une mère commence par qu'est-ce que je peux vous dire ? c'est mal parti. J'imagine sans peine la suite liquéfiée. Depuis qu'il est enfant, il est difficile à contrôler. J'ai tout essayé, je vous dis. Son père et moi on a tout fait pour le remettre sur le droit chemin. Mais il a été influencé par cette bande de voyous. Une fois qu'il a été entre leurs mains, on n'a rien pu faire. *Piti-la inn sanze, mo dir u.* On ne le reconnaissait plus. Et ainsi de suite. Elle ne sait pas tout le mal qu'elle me fait, ma pauvre Mam. Elle croit que les *missié ziz* auront plus de compassion envers moi et que la peine sera moins lourde.

Mais au moins, Mam, au moins, tu aurais pu leur dire que tu ne me crois pas coupable. Tu aurais pu leur dire ça.

Pas une seule voix qui parle pour moi. Et des voix, j'en entends, depuis que je suis ici. Les voix dans ma tête n'arrêtent plus. Mais je ne suis pas fou, ni sainte Bernadette. C'est quand il y a trop de murs autour de vous, et des murs derrière ces murs, que les voix tiennent une conversation avec vous pour vous empêcher de basculer.

J'espère seulement que ça ne durera pas trop longtemps. Je ne sais pas combien de temps je pourrai tenir.

J'espère que j'aurai une seconde chance.

Si quelqu'un m'écoute, j'aimerais bien une seconde chance. Quitte à me faire prêtre.

SAD :

Ils déferlent, les uns après les autres, ils s'enchaînent au
son d'une musique grêle, sans mélodie mais magnétisante.
Ils grincent comme des bourdons qui se mettent en chasse.
Des guêpes avides, des abeilles énervées, une insolence
d'insectes ayant perçu non loin l'appel d'une rare flo-
raison. Cet été rassemblé en un seul corps mouvant, la
cohorte le sent de loin, utilisant je ne sais quel sens inaccessible aux hommes. Les hommes-insectes, les bourdons-
machines décrivent de larges cercles, font leur danse
d'orientation sous la lune humide.
  Sur leurs motos, leurs mobylettes et leurs vélos, ils se
lancent à la recherche d'Ève.
  Je tourne en rond dans ma chambre, armé de mon feutre
noir. Je me sens parfaitement inutile et démuni. Je
m'acharne à décrire mon état d'esprit pendant que je réflé-
chis, ce qui me distance de mes pensées. Je m'applique,
comme si celui qui écrivait était en dehors de moi, à utiliser des métaphores et des comparaisons, des figures de
style qui ne sont qu'un déguisement de la vérité. Pourquoi
ne pas écrire, la bande a enfourché les motos et quitté la
cité ? Pourquoi ne pas dire, j'ai peur qu'ils retrouvent
Ève ? Pourquoi ne pas dire, j'ai peur ?
  J'écris pour ne pas devenir fou. Je crois que, ça aussi,
on l'a déjà dit. J'ai envie de pleurer. De cela et de tout, de

mon envie d'exister à tout prix, moi, l'enfant de Troumaron, de mes appels à l'aide qui ne se dirigent vers personne, de tout ce qui nous charge, de tout ce qui nous
accuse, de tout ce qui nous ligote, de tout ce qui nous
bâillonne, dire dire dire dire, pour cela je les tuerai moi-
même, j'irai à la chasse, j'éliminerai tous ceux qui veulent faire du mal à Ève, et je ferai de moi-même un fait
divers dont on parlera à la télé et dans les journaux, et
puis, une fois en prison, j'écrirai mon histoire et j'écrirai
des poèmes et je les enverrai à un éditeur et on me remarquera, la distance qui me sépare de l'écriture provoquera
l'admiration de tous et tous diront n'est-ce pas charmant,
n'est-ce pas merveilleux, ce gamin défavorisé qui a pris
Rimbaud pour modèle, n'est-ce pas là un joli coup
médiatique et littéraire, je deviendrai un bon coup médiatique, et en plus ils auront l'impression de faire du social,
on m'érigera en modèle pour les autres gamins des cités
qui s'en foutent royalement, mais surtout, je serai
entendu et je serai lu, c'est tout ce qui compte, peu
importe comment ils s'y prennent et dans quel but, qu'ils
m'exploitent, si c'est ça qu'ils veulent, tout ce que je
veux, moi, c'est sortir la tête de l'eau, c'est sortir du lot,
c'est être.

Mais pour cela, il me faudra tuer.

Mais avant cela, je dois la retrouver.

Je dois rassembler mon courage pour sortir. L'air est
encore strié de leurs passages. S'ils me voient, ils me for-
ceront à dire où elle est allée.

Ouvrir la porte de ma chambre est difficile. Ici était un
coin respirable. Ici étaient mon antre et mon aube. Mais

dehors, il n'y a plus de continuité possible. Tout s'est arrêté. Tout est en attente. Le monde est clos. Nous ne pouvons plus sortir des cercles tracés par nos propres soins. Ces cercles qui disaient au reste du monde, nous ne sommes pas comme vous, notre monde n'est pas pareil au vôtre, aujourd'hui, ils nous emprisonnent plus sûrement que les prisons de l'État.

Il faudrait toujours se ménager l'esquisse d'une porte. Que l'on ait l'illusion d'une fuite, même en trompe-l'œil, même en trompe l'âme.

Dans la cité, chacun s'est figé.

La bande, elle, s'est étalée dans Port Louis à sa recherche. Ils se sont armés de cocktails Molotov. Ils veulent la retrouver avant. Ensuite, ils n'écouteront plus que le martèlement dans leur tête et l'aigreur dans leur bouche. Le premier fracas sera le plus choquant, dans le silence de la ville. Les autres, après, seront faciles. À leurs bruits, à leurs cris, la terreur prendra les gens. Certains tenteront de fuir. D'autres se barricaderont. Si aisément, l'onde se propagera. On est attaqués. On attaque. L'étincelle joue à saute-mouton. Et ensuite vient la déflagration.

Ils ne savent pas. Ils sont bloqués dans leur désir d'impossible. Ils ne comprennent pas à quel point leur monde est fragile. Que ce geste de fureur stupide, adolescente, de balancer une pierre contre une vitrine de magasin entraînera une onde de choc qu'il sera presque impossible d'arrêter. Des gamins qui mordent, oui ; mais derrière eux, il y a des loups qui attendent de faire surface et de déchiqueter.

Ils choisissent d'oublier qu'ici, tout les ramène à l'identité. Et que, quand les gens se regardent, avant de voir un visage, ils voient une étiquette qui y est attachée à vie.

Je ne veux pas faire partie de ceux qui réveilleront le volcan. Cette île est née d'un volcan. Une éruption, cela suffit. Je me mets à courir pour la retrouver avant eux. D'ailleurs, je sais où elle est.

ÈVE :

Je claudique, je boitille. Chaque souffle est une porte
ouverte à l'urgence. Il dure une éternité. Chaque souffle
réveille les parties endolories de mon corps. Mais au moins
ainsi, je suis sûre d'être consciente.

Ca prendra le temps qu'il faut. Mon temps n'est plus le
même que celui des autres. La liberté et la fin : voilà ce qui
me guide.

Toutes ces respirations interrompues s'accumulent au
fond de ma gorge. Là, elles se mettent à serrer. Je crois
comprendre ce qu'a vécu Savita. Penser à elle me fait
encore plus mal, maintenant que je sais que c'est bien à
cause de moi.

L'hypocrisie de cet homme me fait rire, ou peur, je ne
sais pas. Oh, ses tremblements, ses petits sursauts, ses
frayeurs. Pauvre créature reptilienne, sans vertèbres. Il me
désirait tellement qu'il était parvenu à braver sa honte. Son
courage a été suffisant pour l'amener jusqu'à la salle de
biologie et faire de son ombre sur les murs un monstre nu ;
mais d'être vu par quelqu'un d'autre, non. Un autre œil sur
sa déchéance, non. Il peut me mettre à plat sur une table
jusqu'à m'incruster dans les veines du bois, il peut me
prendre dans tous les sens, il peut faire semblant de
m'adorer, du moment qu'on est seuls dans la prison de ses
fantasmes. Qu'un autre nous voie, et il renie tout. Je peux

déjà l'entendre dire, c'est elle qui m'a aguiché. C'est elle qui m'a supplié. C'est elle qui s'est jetée sur moi. Je finirai par le violer, c'est sûr.

Je pense à l'arme que m'a donnée l'inspecteur et qui bouscule doucement mon aisselle. Il m'a donné la possibilité de tout inverser. De tout reprendre depuis le début en faisant table rase. J'ai trop attendu. Il y a un monde, en dehors des interdits. Le corps de Savita me l'a dit : brûle tes cordes et pars. L'inspecteur me l'a dit : ce n'est pas pour t'enterrer, c'est pour te frayer un chemin. Il sait quels chemins j'ai suivis, et où la prochaine rencontre entre deux pierres pourrait me mener.

Je vais laisser ma marque juste au centre de ses sourcils. Ensuite je m'en irai. Je m'échapperai par la violence. Il n'y a pas d'autre issue. Dans mon cartable, sous mon bras, l'arme nage doucement. Ma monnaie d'échange avec le destin. Je n'ai pas besoin de tout prendre. J'ai été stupide, comme on l'est à dix-sept ans. Maintenant, je sais. Il y a un lieu où le cri des oiseaux est bref et perçant, et où l'été a des brûlures fauves qui vous font oublier jusqu'à la mémoire des vers dans vos intestins.

Tous les mourir sont entre tes mains, me dit l'arme dans mon cartable.

Tous les vivre aussi, me dit Savita.

Que choisis-tu ?

Je fais le plein de souvenirs avant d'affronter ce regard vieux avant l'âge, meurtrier par honte et par impuissance. De nous deux, le plus inconsolable.

CLÉLIO :

Un velours se glisse dans son œil, à l'ombre de ses
franges. Est-il pour moi ?
Elle s'appelle Lauren.
Elle s'appelle Lauren.
Je crois que je ne serai pas condamné à mort.
Je peux défaire les briques qui m'ont enterré ici. Une à
une, je peux les détacher de leur lit de mortier, même si je
dois y perdre mes ongles et ma jeunesse. À force de
regarder les murs, ils deviennent une tache sombre, puis un
trou, puis rien. L'ouverture sur tout. Le basculement dans
rien.
Rire ou pleurer ? Le choix est limité.
Mais le plus important, c'est d'être convaincu : je n'ai
pas tué. Le monde peut s'écrouler. Je n'ai pas tué.

Au milieu de la nuit, je sors de cette espèce de boue qui,
ici, se fait passer pour le sommeil et je vois par les barreaux Carlo qui me regarde. Je bondis sur mes pieds.
Carlo ! Tu es revenu ! Il hoche la tête mais il ne dit rien
pour pas m'énerver avec son pseudo-accent français. Je
me mets en face de lui et je passe les mains à travers les
barreaux. Il me prend les mains, mais les siennes sont si
froides que je frissonne. Tu as froid, Carlo ? je lui
demande. Il hoche encore une fois la tête. C'est l'air de la

prison, je lui dis, ça te refroidit avant même que tu sois crevé. Ne reste pas là. Je te rejoindrai dehors. J'enlève mon blouson et je le lui donne. Lorsqu'il le met sur lui, je vois qu'il est nu et très maigre. Qu'est-ce que tu as, Carlo ? Et puis je vois qu'il est lui aussi dans une cellule de prison. J'y comprends rien.

Après, je suis dehors, dans un endroit qui ressemble au Souffleur. Je suis debout au bord d'une falaise de roc. Les vagues se jettent contre les flancs de la falaise, l'usent, la mordent. Il paraît qu'avant, le vent faisait un bruit de cor en passant dans les tunnels que l'eau avait creusés dans le roc. Il soufflait, il gémissait, on l'entendait dans les villages voisins comme la voix des morts. Jusqu'à ce que les vagues ouvrent des passages de plus en plus larges et ôtent leur voix au vent et aux morts. Alors, c'est moi qui crie, qui souffle, qui gémis et qui réveille cet endroit de son silence.

Dans la prison, on n'entend plus que ma voix.

Puis la boue du sommeil me reprend.

La nuit, on dit que les océans dorment. Mais peut-être sont-ils déjà morts.

Je suis Sad, comme mon nom. J'entre dans sa dérive.
Personne d'autre que moi ne peut suivre le nuage qui porte
son nom.

Il pleut. J'ai froid de toute cette pluie. Je voudrais la
rejoindre, rejoindre son chemin, rejoindre son suicide ; un
pacte, entre deux êtres crevés, deux bêtes fatiguées avant
d'avoir commencé à vivre.

Mais je ne veux pas non plus m'arrêter ici. J'ai encore
une vie à vivre. Je n'ai pas peur de trébucher. J'ai peur de
voir la chute en face. Ce qui attend les garçons, les filles
comme moi, comme elle, quand le tranchant tombe sur
leur nuit, sur leur rire. N'y sommes-nous pas tous par-
venus, à cet instant ?

Tout cela est si bref. Quelques années dérisoires, à peine
le temps d'ouvrir des yeux neufs sur la vie et, déjà, ce qui
se présente à nos yeux est la mort. Notre alternative : soit
la défaite, soit la conquête par la violence. Mais cette
conquête-là n'en est pas une. C'est la résistance des désespérés. C'est ce que j'aurais voulu leur dire, à eux qui se
déploient en ce moment à travers la ville avec leurs visages
d'anges néfastes, pris dans leur faux rythme, la voix péta-
radante de leurs machines annonçant l'échéance. Je ne sais
pas ce qui nous rattache à ces cadences meurtrières.

Peut-être le soleil grisé de notre naissance ?

Il pleut. Il pleut dans ma tête. Il pleut un peu partout dans mes secrets. On pourrait dire que je pleure, mais ce n'est pas vrai.

Je ne veux pas mourir.

Je veux parler de ces lieux qui existent hors du temps et qui nous assassinent. Je veux dire ces lieux qui s'obstinent à démentir ce que nous sommes.

Je traverse une enfilade de portes blindées et cadenassées. Au fur et à mesure que je marche, j'ai l'impression que c'est contre moi qu'elles se referment. Plus personne ne me laissera entrer. Je suis sorti de tous les espaces permis, des territoires usuels. C'est Ève qui m'entraîne sur son parcours concentrique, dans son tourbillon de colère.

Je croise des corps endormis dans l'embrasure des portes. Sur les perrons graisseux de pluie, les traits mis à nu, ils dorment. Des ivrognes, tombés sous le poids de l'alcool dans leur ventre. Une très vieille femme, peut-être morte, un ballot de chiffons sous la tête en guise d'oreiller. Un chien et un homme rassemblés, ronflant de concert.

Ils ont le même visage, plat comme leur déchirure. Il me semble que je peux entrer en eux et habiter le centre de leur tristesse. Je peux être chacune des rides entaillées sur le visage de la vieille. Je peux être le flanc du chien malade qui entre profondément dans ses côtes et en ressort pour tenter de préserver le flux de la vie dans son corps. Je peux être la main mobile de l'homme, fermée, ouverte, fermée, ouverte, pour ne pas se figer tout à fait. Je peux être un bout de sa chemise effilochée qui traîne dans une flaque d'urine à ses côtés. Je peux être la voix du vent qui souffle sans violence et l'île qui dort sans chercher à comprendre.

Si je peux être tout cela, je peux aussi être elle, Ève. Je sais où elle est, ce qu'elle fait. Je l'ai toujours su.

Et je suis cet homme piètre et blême qui a détruit notre paix, qui a été le catalyseur de l'explosion, par lâcheté et par désir.

Et je suis les pères et les mères asphyxiés par la bouche de l'échec.

Et je suis les garçons à la soif rageuse qui croient gagner leur liberté en semant le désordre.

Et je suis, comme lui, qui me parle sans cesse dans mes rêves, un voleur de feu.

Mais maintenant, je suis moi : redevenu simple et double et multiple à la fois. Je suis Sad. Rien d'autre ne compte.

Tu le regardes et tu es sidérée par le changement qui a eu lieu en lui. Il est anéanti par le remords. Comme une larve, il cherche à ramper vers les encoignures. À la porte ouverte, à son geste de résignation lorsque tu entres, main levée puis vite retombée, tu vois qu'il t'attendait. Il a devant lui une bouteille de rhum à moitié vide dont les vapeurs emplissent la pièce et masquent d'autres odeurs plus ancrées. Autour de lui, il y a des feuilles de papier, certaines déchirées, d'autres pas. Il y a des photos de quelqu'un qui lui ressemble vaguement, rendu méconnaissable par l'espoir. Lui, c'est quelqu'un dont toute la lumière a été aspirée.

Tu éprouves, au moment de le tuer, un bref instant de pitié. Puis tu te durcis : il n'a pas eu, lui, la moindre pitié. Lâche, humilié et égoïste : décidément, il t'offre toutes les vertus de sa disparition.

Il fait mine de se lever, mais il n'en a pas la force. À son souffle cahoteux, tu vois qu'il a peur. Il te dit :

Ne me fais pas mal.

Ces mots ont une résonance froide dans ta tête. Chaque fois que tu as été à la rencontre d'un homme, dans ton esprit, dans ta chair, il y avait ces mots-là : ne me fais pas mal. Tu ne les as jamais prononcés à haute voix. Mais tu ne pouvais jamais savoir, à l'avance, l'étendue des dégâts. Et tu avais mal, ils n'hésitaient pas, ne flanchaient pas, parfois avec le sourire, parfois sans avoir l'air d'y penser. Cela faisait, te semblait-il, partie du donnant-donnant.

Aujourd'hui, c'est l'homme qui les prononce, juste parce que tu as une arme à la main. Tu acceptes ces rôles inversés. Tu accueilles le mépris qui te remplit le ventre.

Tu lui dis : agenouille-toi.

Cela aussi, ils te le disent chaque fois. Agenouille-toi. Ouvre la bouche. Reçois.

Il est si défraîchi qu'il semble sur le point de s'évanouir. Il ne comprend pas. Tu répètes :

Agenouille-toi.

Il s'exécute. Tu t'approches de lui, tu lui soulèves le menton et tu le regardes dans les yeux, pour ne pas oublier ce visage-là, ce moment-là. Ensuite, tu poses la bouche de l'arme sur son front, entre ses sourcils.

L'arme est lourde, mais elle n'est pas bien grosse et s'adapte bien à ta main. Tu te demandes si tu as enlevé la sécurité, si tu sauras tirer. La chair cireuse que tu surplombes ne ressemble plus à rien d'humain. Elle semble plus morte que la chair de Savita, à la morgue.

Tu repenses à elle, telle que tu l'as vue la dernière fois. C'est à cause de lui qu'elle avait ce teint violacé, cette fixité, cette définitive immobilité. C'est à cause de lui qu'elle contredisait tout ce qu'elle avait été : une fille rieuse, pensive, chaleureuse et vivante, surtout, vivante. Il a été son dernier instant. C'est ce visage-là, pâteux, vaincu, ignorant le sens même du mot amour, qu'elle a vu au moment de mourir.

Tu ne lui pardonneras pas.

ÈVE :

Je suis sortie de chez lui, étonnée que personne n'ait
entendu le bruit. Je ne m'y attendais pas, à ce bruit-là. J'ai
l'impression d'être devenue sourde. Mais ma main n'a pas
tremblé.

Il a rassemblé tous les autres derrière ses yeux fermés.

Je sors dans la pluie qui s'est mise à tomber. Elle est
lente et tiède. Elle mouille mon crâne pratiquement nu,
colle mes vêtements à ma peau. Elle est si abondante que
des flaques naissent à mes pieds, s'élargissent et les noient.

Je crois que je me suis éloignée de la maison, mais je me
rends compte que je n'ai pas bougé. Je reste debout là, ne
sachant pas ce que je dois faire.

Quelle est la suite de l'histoire ? Sad, c'est ton boulot,
ça, que de raconter. Moi, je ne sais pas. Vais-je finir ici, à
dix-sept ans ? C'est si bref que ça, la vie ?

SAD :

C'est fait : j'ai appelé la police pour prévenir qu'il y a
un risque d'émeute. J'espère qu'ils arriveront à temps.
J'arrive en courant à la maison du prof. Ève est debout
devant la maison. Elle lui tourne le dos. Elle est complètement
trempée par la pluie. Même sans ses cheveux, je la reconnais
tout de suite. Ève, c'est Ève. Elle a une arme à la main.
Elle est saisie par une lumière d'étoile. Son visage semble
décousu. D'étranges couleurs, les couleurs des coups,
brouillent ses traits. Ses yeux sont si profonds et leur résonance si métallique que j'ai du mal à la regarder. Ils vont au-
delà de cette maison, au-delà de Port Louis, au-delà du présent. Ses yeux sont à demain, et demain n'existe pas.
La pluie apporte une odeur d'océan. Elle dégouline tout
autour d'elle avec un bruit très doux. On dirait que la pluie
va la diluer et la fondre, tant il ne reste rien d'elle.
Je m'arrête devant elle et je lui prends l'arme de la main.
Elle ne m'en empêche pas. Elle me dit :
Il a laissé une lettre, à propos de Savita.
Je lui dis, c'est bien, ils seront obligés de libérer Clélio,
et puis, ça me donnera une excuse.
Une excuse ?
Quand j'irai me rendre à la police.
Elle secoue la tête et m'explique, patiente : Non, c'est
moi qui l'ai tué, pas toi.

154

Ève, dis-je, laisse-moi faire. Je sais ce que je dois faire.

Elle me regarde avec un reste de sa colère d'avant :

Je dois aller jusqu'au bout, ça n'a rien à voir avec toi.

Je l'entraîne jusqu'à un muret qui nous protégera un peu de la pluie. Je l'oblige à s'asseoir à côté de moi. Elle est si fatiguée et mal en point qu'elle se laisse faire, même si ce mouvement réveille toutes ses douleurs et la fait grimacer.

Je ne veux pas que tu te fasses accuser à ma place, dit-elle. Je t'interdis de le faire.

Je n'ai pas besoin de toi.

Je n'ai pas besoin de toi.

Six mots ; un pour chaque paume, un pour chaque pied, un pour la tête et un pour le cœur. Je dégouline rouge.

Pour la première fois, elle m'entoure de ses bras. Sa bouche est désolée, mais inflexible. Malgré mon désarroi, je mesure le centimètre qui nous sépare.

Sinon cela n'aura servi à rien, dit-elle.

Je ne sais pas à quoi cela a servi. Je sens sa respiration difficile, ses battements inégaux.

Je regarde les dégâts sur son corps. Elle a été sculptée comme une roche basaltique. Je ne comprends rien à la violence ; elle est là, partout. Un poison suspendu dans l'air.

Mais j'ai au moins une certitude : pour elle, avec elle, pour une saison ou plusieurs, je suis prêt à aller en enfer. Tout le reste m'indiffère. Je passe la main sur sa nuque, sur sa tête rase. Même sous le muret, l'eau nous noie.

Mais elle a un bon goût sur mes lèvres.

*Achevé d'imprimer
par CPI Firmin-Didot
à Mesnil-sur-l'Estrée, en octobre 2019
Dépôt légal : octobre 2019
Premier dépôt légal : décembre 2005
Numéro d'imprimeur : 155421*

ISBN : 978-2-07-077618-4/Imprimé en France

363899